LA NUIT
DU 12 AU 13

DU MÊME AUTEUR

DANS LE MASQUE :

DANS LE CLUB DES MASQUES :

STANISLAS-ANDRÉ STEEMAN

LA NUIT
DU 12 AU 13

(MYSTÈRE À SHANGHAÏ)

LIBRAIRIE DES CHAMPS-ÉLYSÉES

à Krisha-Lydia

PROLOGUE

Allons, enfants de la patrie,
Le jour de gloire est arrivé

Floriane recula jusqu'à ce qu'elle sentît dans son dos la barre d'appui de la fenêtre ouverte. Derrière elle, toute proche, la rade de Cherbourg sortait lentement de la brume qui l'ouatait depuis le matin.

Elle dit :

— Un pas de plus et je me jette par la fenêtre !

Jicky — l'homme à qui Floriane avait donné le nom de Jicky — n'était plus qu'exaspération, nerfs à fleur de peau.

— Je pourrais te prendre de force ! dit-il d'une voix rauque, une voix qu'il ne contrôlait plus.

Floriane pâlit et ses yeux virèrent au gris :

— Essaie !... Je ne m'en jetterai pas moins dans la rue, *après* !... Et de plus haut !...

Jicky arrêta brutalement la radio :

— Ecoute-moi, à la fin !... Christine et moi sommes de simples amis d'enfance... Je t'ai déjà parlé d'elle, souviens-toi !... De son nez en l'air, de ses taches de son !... Elle n'avait plus un sou, ne savait où passer la nuit... Elle parlait de se flanquer une balle dans la peau, de faire signe aux *stukas*...

— Et tu l'as crue !

— Je te crois bien, toi, quand tu me menaces de te

5

jeter par la fenêtre !... Si tu l'avais vue !... Hâve, dépeignée !... N'importe quel homme en aurait fait autant !

— Justement ! Je ne t'ai aimé que parce que je te croyais différent des autres, je ne consens à être ta captive que si tu es mon prisonnier !

Il y avait, entre Floriane et Jicky, une table ronde. Et, sur cette table, quatre objets : un cendrier de cristal, une photographie de Floriane en fourreau de velours noir, très femme de trente ans, un vase contenant des œillets rouges (1) et un journal portant cette manchette : *Nouvelle avance des troupes allemandes.*

Jicky écrasa dans le cendrier la cigarette qu'il fumait. Il portait à l'annulaire une curieuse bague en forme de serpent.

— Mon chéri ! dit-il d'un ton suppliant. Je déteste parler de ça, mais mon escadrille prend l'air ce soir... Je peux être descendu... Sauf protection d'en haut, je *dois être descendu*... Alors imagine-toi cela : la vie sans moi... Tu ne me regretterais pas ?

— Non, dit Floriane. Je te regrette déjà.

Elle ajouta vivement :

— N'approche pas !

— Mais puisque je te dis...

— Tout ce que tu peux me dire ne servirait à rien.

— Même si je te jurais ?...

— Même ! Tu as tout gâché.

— Gâché quoi ? Puisque rien n'est arrivé !

— Pour moi, si !

— Très bien ! dit sombrement Jicky.

Il se dirigea vers la porte, l'ouvrit, et le soleil, comme il se retournait, fit briller les boutons de son uniforme neuf :

(1) « N'allez plus jamais offrir d'œillets rouges à Floriane Aboody ! »

— Prends garde !... Si je passe cette porte... (Menace de faible. Il la redoubla.) Si tu me laisses passer cette porte, je pars pour tout de bon, je ne reviendrai jamais...

— Pars, dit Floriane. Ne reviens jamais.

— Folle ! hurla Jicky.

Floriane l'écouta s'éloigner, les mains toujours fermement serrées sur la barre d'appui. Puis elle s'assit sur le divan, ce divan dont les ressorts avaient toujours grincé. Et qui grincèrent encore, sans qu'elle l'entendît. Elle était comme anesthésiée par l'excès de sa souffrance.

Une femme entra. Une Chinoise, obèse. En simple robe noire. Ti-Minn, sa nourrice.

— Flo'iane a du chag'in ?

Floriane inclina la tête, incapable de répondre.

— Il t'a laissée ? insista Ti-Minn.

— Non. Je l'ai chassé.

— Ti-Minn comp'end pas. Toi plus l'aimer ?

— Au contraire, dit Floriane. Je ne l'ai jamais tant aimé.

Et, au même instant, la clameur désespérée des sirènes couvrit la rade, envahit la chambre.

— Ecoute ! gémit Floriane. Les revoilà ! Les revoilà !

Elle se leva, livide. Elle porta les mains aux tempes. Elle dit :

— Je voudrais être morte...

Toutes les sirènes de Cherbourg donnaient maintenant de la voix, l'une après l'autre, comme un chien hurlant à la mort réveille un autre chien.

Ti-Minn se signa, car elle était catholique.

Elle dit :

— Au nom du Père, du Fils, du Saint-Esprit... Ainsi soit-il...

I

Avec son-tra-la-la,
Son petit tra-la-la...

Floriane recula jusqu'à ce qu'elle sentît dans son dos la barre d'appui de la fenêtre ouverte. Derrière elle, très loin, la rade de Shanghaï miroitait au soleil de 4 heures.

Elle dit :

— Un pas de plus et je me jette par la fenêtre !

Herbert Aboody — l'homme qui avait donné son nom à Floriane — demeura impassible.

— Songez aux lois de la pesanteur, dit-il d'une voix apaisante, une voix dont il avait contrôlé les effets.

Floriane rougit, et ses yeux virèrent au vert :

— Et alors ?... Vous ne me jugez peut-être pas capable d'en finir comme ça ?

Herbert Aboody arrêta posément la radio :

— Ecoutez-moi, au moins !... Cette fille n'est pour moi qu'une simple collaboratrice... Je vous ai déjà parlé d'elle, souvenez-vous-en !... De son dévouement, de sa discrétion... Nous avions à travailler toute la soirée... Je n'allais pas la laisser rentrer chez elle quand j'étais moi-même obligé de dîner dehors...

— Et vous voudriez que je vous croie ?

— Je vous crois bien, moi, quand vous sortez tous les après-midi sous prétexte de vous faire faire votre portrait !... Que me donnez-vous encore, d'ailleurs ?... Vous m'échappez chaque jour davantage... Aucun homme n'accepterait une telle situation !

— Justement ! Je ne vous ai épousé que parce que je vous jugeais homme à tout accepter, vous ne me reprendrez que si vous savez attendre...

Il y avait, entre Floriane et Herbert Aboody, une table ovale. Et, sur cette table, quatre objets : un cendrier d'argent, une photographie de Floriane en robe d'organdi blanc, très jeune fille à son premier bal (1), une vasque contenant un nénuphar et un journal portant cette manchette : *Nouveau recul des troupes nationalistes.*

Herbert Aboody écrasa dans le cendrier le cigare qu'il avait laissé éteindre. Sa main tremblait un peu.

— *My dear !* dit-il d'un ton de reproche. Je vous ai toujours donné plus que vous ne m'avez demandé. J'ai prévenu tous vos désirs et jusqu'au plus déraisonnable de vos caprices... Que puis-je de plus ?

— Tenir vos promesses, dit Floriane.

Elle ajouta vivement :

— Restez où vous êtes !

— Mais il me semblait...

— Vous prétendiez m'ouvrir les routes du monde, m'emporter sur tous vos bateaux... Vos bateaux prennent la mer tous les jours, mais sans moi !... Je veux quitter Shanghaï ! Cette ville m'obsède. J'y étouffe.

— Commencez donc par rompre avec votre ami Zetskaya !

— Non, dit nettement Floriane. Je ne vois d'ailleurs pas ce que vous avez à lui reprocher...

_____

(1) Sept ans ont passé depuis Cherbourg.

— Je le sais, moi, parfaitement ! dit Herbert Aboody.

Il réprima mal un tic qui lui tirait l'œil gauche vers la tempe :

— Je sais très exactement, à un tael près, ce que je lui dois, ce que *nous* lui devons !... Mais je vous sauverai malgré lui. Malgré vous, s'il le faut !... *Memen-tchô* (1) ! Le règne du sieur Zetskaya ne sera pas éternel. Il tire même singulièrement à sa fin.

Floriane trahit une subite inquiétude, la première :

— Que voulez-vous dire ? Expliquez-vous !... Piotr n'est pour moi qu'un bon ami, peut-être mon seul ami. Et un peintre de talent...

— Possible ! dit Herbert Aboody, du seuil. Mais je n'aime pas sa façon de peindre !

Il marqua une hésitation, la première :

— Serez-vous là pour dîner ?

Floriane regardait sa photo, comme si elle venait de la découvrir :

— Pardon ?... Oui... Je ne sais pas...

— Alors... A ce soir, j'espère ? Je vous ramènerai peut-être Steve.

Floriane l'écouta s'éloigner, les mains toujours fermement serrées sur la barre d'appui. Ces scènes la tuaient. Elle n'y résisterait pas.

Elle prit sa photo, la considéra d'un air incrédule, feuilleta un magazine, puis un autre :

Mrs Herbert Aboody, marraine du Yachting Club... *Mrs Aboody, qui vient de remporter le Grand Prix au dernier concours d'élégance automobile... Mrs H. Aboody, dont les bijoux sont assurés pour plus de cent mille dollars... Mrs H. Aboody, la femme la plus enviée de Shanghaï... La toujours jolie Mrs Aboody...*

_____

(1) *Patience !* en chinois.

10

— La *toujours* jolie Mrs Aboody...

Un bruit de moteur, montant par la fenêtre ouverte, lui apprit que son mari mettait sa voiture en marche, s'éloignait.

Alors, avec une hâte fébrile, comme pour rattraper le temps perdu, elle courut à la porte, l'ouvrit toute grande.

— Ti-Minn ! Ti-Minn ! cria-t-elle. Mon manteau ! Je sors !

En repassant devant la glace, elle y aperçut une jeune femme qui, tant ses yeux brillaient d'excitation, méritait vraiment — pour l'instant — l'épithète de « toujours jolie Mrs Aboody ».

II

Zetskaya était un Eurasien, un *half-caste*, comme on dit à Shanghaï, métissé de Russe par son père, prince comme bien on pense, et de Chinois par sa mère, une *amah* (1) menue que la princesse Zetskaya, trop confiante en ses propres charmes, avait commis l'imprudence d'engager à une époque où elle relevait de couches difficiles.

Grand et beau, de cette beauté dite « ténébreuse » qui plaît à une femme sur deux et déplaît à onze hommes sur dix, Zetskaya évoluait en tous lieux (hormis dans les cercles réservés à la *gentry* d'où il eût été honteusement chassé) avec cette vigilante nonchalance que l'on prête aux félins. Bâtard par sa naissance, il l'était aussi et surtout, prétendait-on (chacun

(1) Bonne, servante.

connaît aujourd'hui le poids d'une telle injure dans la bouche d'un Anglo-Saxon), par son manque de scrupules, sa fourberie, son amoralité innée, encore que ses détracteurs les mieux informés ne pussent guère lui faire qu'un grief (mais majeur à Shanghaï) : celui de tirer ses revenus de sources inavouées, « inavouables », disaient les plus médisants. Sans doute était-il plus ou moins portraitiste et bien des femmes, qui lui auraient fermé leurs salons et se détournaient en le croisant pour n'avoir pas à le saluer dans l'enceinte des *settlements*, couraient-elles en cachette pour se faire peindre par lui. Mais, outre qu'une soirée au *Frolic's* où il se montrait chaque soir, ou peu s'en faut, devait bien lui coûter ce que lui rapportait la toile la mieux payée, ne s'offrait-il pas le luxe de refuser des commandes, d'éconduire des modèles sous les prétextes les moins valables et les plus offensants, jugeant une telle elliptique, telle autre octogonale, telle autre encore trop picassienne pour ses moyens, et le leur disant avec une mielleuse impudence ?

Zetskaya habitait, au cœur de l'ex-concession française, un appartement élevé d'où il embrassait d'un coup d'œil les jardins de Kou-Ka-Za. Il y vivait mi à l'européenne, mi à la chinoise, car, prétendait-il en manière de plaisanterie, il n'était pas homme, comme la princesse Zetskaya, à mésestimer le péril jaune. Le côté chinois était d'ailleurs bien moins apparent chez lui que dans beaucoup de demeures européennes dont les propriétaires sacrifiaient à la couleur locale. Son atelier, éclairé par une verrière, était une grande pièce aux murs crépis à la chaux et sobrement meublée d'un chevalet qui en faisait l'âme, d'un divan et de quelques meubles à tiroirs contenant pour la plupart des toiles inachevées, des tubes de peinture vermiculaires, des chiffons polychromes, des pinceaux ébarbés et des palettes aspirant à un bain de térébenthine. Quelques nattes, bien sûr, et quelques tables basses où l'on était assuré de trouver des cigarettes américaines et un briquet à flamme inextinguible. Un bar aussi, forcément. Mais, de typiquement chinois, il n'y avait que deux choses : une haute silhouette en cloisonné de Fô, dieu du Bonheur, et une fragile Chinoise agenouillée : Tien-Kwen (« Pierre précieuse ») que Zetskaya avait rebaptisée : « Lotus ».

Quand Floriane pénétra dans l'atelier cet après-midi-là, vers 5 heures, tout y était à sa place : Fô dans son nid de tentures, Zetskaya, en robe de soie, devant son chevalet, et Lotus, accroupie dans son coin, penchée sur un jeu de tasses d'où s'élevait une subtile odeur de thé.

— *Hello, Sweety !* dit Zetskaya, sans se retourner. Vous êtes en retard.

— Je sais, dit brièvement Floriane.

Lotus, abandonnant sa théière et ses tasses, s'affairait déjà autour d'elle, l'aidant à ôter son manteau, lui tendant une glace à main.

— Merci, Lotus, dit Floriane.

Lotus fit une semi-révérence à l'européenne, sans que son petit visage ivoirin exprimât le moindre sentiment. Elle avait passé la première jeunesse et s'habillait entièrement de noir, comme pressée de se vieillir.

Zetskaya paraissait toujours entièrement absorbé par la toile à laquelle il travaillait.

— Savez-vous ce qui me donne le plus de mal, *Sweety* ? dit-il, comme sans y penser. Votre bouche. Ce dont je me suis le moins méfié.

Floriane marcha vers lui et lui posa une main sur l'épaule :

— Piotr, je suis affreusement inquiète ! Mon mari n'ignore plus rien de nos relations.

— Nous nous en doutions un peu, n'est-ce pas ? dit Zetskaya.

Il se leva et baisa la main de Floriane en la retenant un moment pressée contre ses lèvres :

— Si je ne me trompe, il n'en est pas à sa première allusion ?

Floriane retira sa main avec brusquerie :

— Il ne s'agit plus d'allusions, Piotr ! Je viens d'avoir avec lui une scène affreuse. Il sait que nous nous rencontrons régulièrement. Et il sait *pourquoi* nous nous rencontrons ! Il... Il s'est même répandu en menaces à votre endroit...

— J'en suis désolé, dit Zetskaya du ton d'un homme à qui l'on vient d'apprendre qu'il hérite un million (de dollars). Réellement désolé. J'apprécie beaucoup votre mari.

Floriane avança les lèvres — et la *Lucky* qui y pointait — vers le briquet que lui tendait Lotus :

— Merci, Lotus... Le malheur veut que mon mari, lui, semble vous apprécier beaucoup moins.

Elle s'assit :

— Dites-moi, Piotr... N'avez-vous jamais commis — dans le passé — quelque... irrégularité dont on puisse, aujourd'hui, se servir contre vous ?

Zetskaya haussa les épaules :

— Je n'ai pas assassiné ma mère, si c'est ce que vous voulez dire. La meilleure preuve en est qu'elle est encore en vie. Et quant à mon prince de père... C'est plutôt lui qui m'aurait tué. Une tasse de thé ?

— Non, merci.

Zetskaya était debout. Très mince. Très grand. Grandi encore par la robe de soie qui tombait de ses larges épaules en plis droits.

— Votre robe, dit-il.

Floriane jeta un regard autour d'elle :

— Vous vous êtes défait de votre paravent ?

— J'avais des dettes.

— Je préfère me changer à côté.

— Comme vous voudrez... Lotus !

Lotus venait à peine de se rasseoir. Elle se releva.

— Avez-vous reçu le... la ?... dit Floriane.

Zetskaya secoua la tête :

— Pas avant demain, ou après-demain... La *Lizzie Thornhill* a été arraisonnée, ajouta-t-il sur le ton de la confidence.

— Mais, Piotr...

— Je sais, dit Zetskaya. Dépêchez-vous. Le jour baisse.

Lotus attendait, impassible, la main sur la poignée de la porte de la chambre à coucher. On ne pouvait surprendre son regard. Mais Floriane le connaissait bien. A telle enseigne qu'elle en avait rêvé. Un regard noir, fixe, insistant. Un de ces regards insatisfaits, infatigables, qui attendent. C'était pour cela que Floriane disait toujours : « Merci, Lotus ! »

Quand elle reparut, ses cheveux — dénoués — étaient répandus sur ses épaules et une robe de soie — pareille à celle de Zetskaya — lui donnait des airs de source, de cascade :

— Piotr...

— Je sais ! répéta Zetskaya avec un soupçon d'énervement. L'attente vous pèse. Mais ce n'est plus qu'une question d'heures. La *Mary Conrad* arrive demain... Une tasse de thé ?

Floriane s'assit et prit la pause.

— Combien de fois faudra-t-il vous dire non ? dit-elle avec irritation. Combien de fois faudra-t-il vous dire que je ne prends jamais de thé ?

Zetskaya promena son pinceau du blanc d'Espagne au blanc de céruse. Il adorait les mélanges, fussent-ils inopérants.

— Chaque fois que je vous en proposerai, dit-il.

Il ajouta :

— Entrouvrez les lèvres. Comme si j'allais vous embrasser.

III

Arrivé à la hauteur du 114, Nanking Road, le facteur prit à droite et s'engagea sous une voûte sombre où régnait une fraîcheur de cave, d'autant plus sensible qu'elle succédait à la chaleur plombée du dehors. Ainsi pénétrait-on au cœur des vastes bureaux d'Aboody, Lawrence et Cie, *Import-Export*, où, séparés des clients par un comptoir de bois longitudinal, une centaine d'employés s'affairaient dans un crépitement ininterrompu de machines à écrire, un irritant lamento de sonneries téléphoniques et un brouhaha de conversations en toutes langues.

Le facteur s'approcha d'un portier en uniforme, assis à une petite table, près de l'entrée, et déversa devant cet homme important une telle pile de lettres et de paquets que sa sacoche, ce dégorgement opéré, parut vide ou presque, et que lui-même, en se redressant, eut l'air d'avoir regrandi de plusieurs pouces.

— Cou'ié 6 heu'es... Mr Chen signer là, dit-il d'un ton péremptoire, l'index écrasé sur un registre ouvert.

Le portier alla chercher la signature qu'on lui réclamait, puis procéda hâtivement à un premier tri de la correspondance, séparant lettres, paquets et imprimés.

Une minute après il frappait à une porte vitrée portant le mot : *Expéditions*, pénétrait dans un bureau tapissé de cartes géographiques et posait les lettres devant un gros homme en manches de chemise, littéralement couché sur un journal du soir où il relevait les cours de la Bourse.

— Le courrier de 6 heures, Mr Abel.

Mr Abel poussa un grognement sauvage (la cendre de son « Panatella » s'émietta sur le journal), pointa un dernier cours et attira les lettres à lui :

Mr H. Aboody... Aboody, Lawrence et C°... Mr Aboody... Mr Chen... Aboody, Lawrence et C° (« Timbre uruguayen. Felipe Maquinchao. Commande de blanc de zinc... »), *Mr Lawrence* (« Elle attendra, celle-là ! »), *Mr Abel* (« Tiens, c'est pour moi ! De Coutinho sans doute... Naturellement ! »), *Aboody et Lawrence* (« Lettre de Londres. Affaire Lorrimer... »), *Mr Aboody... M. Alcan* (« Papier bleu, écriture de femme, pour ne pas changer... »), *M. Matriche* (« Ça m'a encore tout l'air d'une facture ! »), *Aboody, Lawrence et C°...*

Quand toutes les lettres eurent été groupées pour être acheminées vers les différents services intéressés — et, ainsi réparties, elles semblaient avoir fait des petits — Mr Abel sonna.

— Le courrier de 6 heures, dit-il sans autre commentaire à l'employé qui entrait.

L'employé, un mince Chinois à lunettes, s'empara des plis désignés, traversa la grande salle par étapes (« Cou'ié de 6 heu'es, missié Mat'iche... Cou'ié de 6 heu'es, Mr Halley... »), frappa à la porte — vitrée, elle aussi — du cabinet directorial, entra.

— Coui'é de... Mille pa'dons ! dit-il, s'arrêtant, interdit. Chung avait f'appé.

Au centre de la grande pièce qu'ils occupaient seuls, un homme et une femme se tenaient étroitement enlacés.

L'homme se retourna, les yeux brillants, une mèche de cheveux roux lui barrant le front, la bouche drôlement agrandie par une tache de rouge à lèvres. Chung reconnut Steve Alcan, secrétaire particulier d'Herbert Aboody (« secrétaire très particulier », comme Steve se plaisait à le souligner lui-même), et identifia en la jeune femme, bien qu'elle lui montrât obstinément le plus joli dos du monde, miss Mona Lindstrom, la dactylo.

— Bon Dieu, Chung, vous pouvez vous vanter de m'avoir fait peur ! dit Steve. J'ai craint un moment que ce ne fût le patron. Fermez la porte en sortant, ajouta-t-il avec la même simplicité.

Il n'avait pas lâché Mona dont son bras épousait toujours la taille.

— Regardez-moi, beauté ! dit-il, le Chinois parti. A quoi dois-je attribuer cette larme ?... A du rimmel dans l'œil ou à un excès de bonheur ?

Mona renifla :

— A... A un excès de bonheur.

— Pas possible ! dit Steve. A votre place, toutes les femmes que j'ai connues, jugeant leur pudeur offensée par ma faute, m'auraient envoyé aux fraises !

Mona renifla pour la seconde fois. Elle était de ces rares blondes à qui les pleurs confèrent un charme de plus.

— Ces femmes-là ne vous aimaient pas, dit-elle, catégorique. J'ai tant attendu, espéré un tel moment ! Serrez-moi contre vous, chéri, fort...

Steve serra (sans conviction). Il n'était pas accoutumé à un langage aussi direct de la part d'une blonde ingénue.

— Je ne sais pas ce qui m'a pris ! dit-il en manière d'excuse. Ce doit être votre parfum... Ou cet orage qui menace... Pour tout dire, je vous croyais en main.

Mona leva vers Steve, qui la dominait d'une tête, des yeux d'un bleu lavé :

— Que voulez-vous dire ?

— Ne me regardez pas avec ces airs de première communiante ! protesta Steve. Je vous croyais amoureuse d'un autre, quoi !

— Au contraire, je n'ai jamais été éprise que de vous, dit lentement Mona, et cela depuis la première fois que je vous ai vu, quand vous êtes entré dans ce bureau... Rappelez-vous... Vous portiez cette horrible cravate canari, semée de fers à cheval, et vous fredonniez...

— *Bonjour, bonjour ! Le soleil brille sur la tour...*

Steve s'interrompit, pris d'inquiétude :

— Dites donc, mon petit, vous n'allez pas vous faire des idées ?

— Des idées sur quoi ?

— Sur... tout, sur moi, sur nous ! Je ne puis rien vous promettre...

— Je ne vous demande rien non plus.

— Vous dites toutes ça, et puis vous courez un beau matin chez le potard du coin et vous en revenez avec de quoi vitrioler tout un régiment...

— Pas moi. Je me sers toujours d'acide prussique.

Steve parut choqué :

— Ne blaguez pas ! Je ne suis pas une affaire pour une femme. J'ai une nature de collectionneur. Je me fatigue régulièrement le premier... Ça ne vous fait pas peur ?

— Non, dit Mona, ou je ne vous aimerais pas. Embrassez-moi. Non, ici. Mieux que ça. On ne vous a donc rien appris à l'école ?

— Ah ! comme vous savez parler aux femmes, Steve ! Quel précieux garçon vous faites !

« *Good heavens !* Cette fois je suis bon ! se dit Steve. Le patron ! »

Et, de fait, Herbert Aboody se tenait au seuil du bureau, une main sur la poignée de la porte. Il entra, jeta son panama sur une chaise.

— Miss Mona se sentait un peu déprimée..., bredouilla Steve. Alors...

— C'est bien ce que j'avais compris, dit Aboody, le regard froid de ses yeux bleu clair fixé droit devant lui, dans le vide.

Steve, pour créer une diversion, s'était emparé du courrier apporté par Chung.

— Laissez cela ! dit brusquement Aboody, le lui arrachant des mains.

Il s'assit à son bureau, disposa les lettres en éventail sur son sous-main de buvard vert, en prit une où son nom était tapé à la machine et qui portait un timbre de Shanghaï, repoussa toutes les autres :

— Vous pouvez partir, miss Lindstrom. Je n'aurai plus besoin de vos services ce soir.

— C'est que..., il me reste deux ou trois lettres à taper.

— Vous les taperez demain. Personne ne m'a demandé ?

— Si, dit Steve. Matriche par deux fois, rapport à ses additions... Enfin, quand je dis : « additions » ! Il s'apprêterait à piquer une jaunisse que cela ne m'étonnerait pas. Et Aumer. Au sujet du chargement avarié de *l'Albatros.*

Aboody tournait et retournait d'un air pensif la lettre choisie parmi tant d'autres :

— Ils attendront !... Des nouvelles de Lawrence ?

— Oui, ce câble arrivé vers 4 heures.

Aboody repoussa d'un signe le télégramme offert :

— Que dit-il ?

— Votre *alter ego* n'est pas content qu'on ne lui ait pas envoyé ses cinq mille *mex* (1) ... Il rentre le 14.

— Eh bien, tant pis !... Ça n'était vraiment pas la peine de câbler pour ça !

— Mr Lawrence compte peut-être que vous lui porterez des fleurs à la gare ?

Mona avait coiffé sa machine à écrire et passé à l'épaule la bretelle de son sac à main. Elle se dirigeait vers la porte.

— Bonsoir, dit-elle.

— Bonsoir, *quirita* ! dit Steve.

— Bonsoir, dit Aboody. A propos, si vous deviez à nouveau éprouver quelques symptômes dépressifs, prenez plutôt un verre de Coca-Cola ou d'alcool de menthe. Le remède vous paraîtra peut-être moins agréable, mais vous ne risquerez pas de complications.

Mona rougit, puis pâlit. Elle ouvrit la bouche comme pour répliquer, puis sortit sans un mot.

— C'était de ma faute ! dit vivement Steve. Vous savez bien que tout est toujours de ma faute.

Aboody parut n'avoir pas entendu. Il venait d'ouvrir l'enveloppe qu'il tenait à la main.

— Regardez, dit-il. Que pensez-vous de ça ?

La lettre était maladroitement tapée à la machine, sur un papier ordinaire.

Elle disait :

Remettez cinquante mille dollars au mendiant qui stationne devant votre porte, ou vous ne passerez pas la nuit du 12 au 13.

                                          Le Dragon vert

(1) Abréviation argotique pour « dollars mexicains ».

P.-S. : Vous ne tirerez rien du mendiant. Les dieux lui ont refusé la vue et les Japs lui ont pris la langue.

— Amusant, dit Steve.

— Bien plus encore que vous ne pensez ! dit Aboody, tirant à lui le tiroir de son bureau. Jetez un coup d'œil là-dessus !

Le tiroir était plein de lettres et d'enveloppes toutes semblables à celles que Steve tenait à la main, les unes soigneusement rangées, les autres froissées, certaines roulées en boule comme si, après réflexion, on les avait sauvées de la corbeille à papiers. On eût dit une sorte de puzzle d'où ces phrases tronquées sautaient aux yeux :

Remettez cinqu... rien du mendiant... Les dieux... ou vous mourrez... nuit du 12 au 13... Et la signature, soulignée d'un motif chinois, en paraissait multipliée à l'infini : *Le Dragon vert... ragon vert... Le Dragon v...*

— A vrai dire, mon plaisir à moi commence un peu à s'émousser, dit Aboody. Les plaisanteries les plus drôles deviennent lassantes par leur répétition... car voilà plus de quinze jours que cela dure. Le format et la couleur des enveloppes varient, comme vous voyez. Probablement pour éviter que je ne les reconnaisse du premier coup d'œil et ne les jette sans les ouvrir. Certaines lettres portaient la mention : *Urgent*, ou : *Confidentiel*, d'autres, lestées de papier blanc pour en augmenter le poids, contenaient prétendument des papiers d'affaires, l'une d'entre elles, insuffisamment affranchie à dessein — une façon comme une autre de la recommander ! — ne m'a même été délivrée que contre paiement d'une surtaxe... Cette fois-là encore, tenez, j'ai bien ri, mais ce fut la dernière !... Que faites-vous là ?

— Je regardais si le mendiant était toujours à son

poste, dit Steve, de la fenêtre. J'ai bien envie de lui dire deux mots...

— N'en faites rien. Je me suis déjà assuré que le Dragon vert ne mentait pas.

— Vous avez essayé de lui refiler un bouton de culotte ?

Aboody secoua la tête, le regard lointain :

— Non, j'ai fait mieux. Je lui ai roussi la barbe avec mon briquet.

— Brr ! Et il n'a pas crié ?

— Non. Il l'aurait bien voulu, mais le Dragon vert dit vrai : *il ne le peut pas.*

Steve avait laissé retomber le rideau sur la perspective grouillante de la rue :

— Avez-vous songé à prévenir la police ?

— Pourquoi pas les sapeurs-pompiers ?

— Il n'y a pas que la police officielle... Il y a aussi l'autre, les détectives privés...

— Très peu pour moi. Je ne tiens pas à être rançonné de deux côtés à la fois !

— L'homme auquel je pense ne vous rançonnera pas. Les Hindous diraient de lui que c'est un *pukka sahib*, un gentleman, un régulier...

— Vous le connaissez *bien* ?

Steve regretta de s'être un peu trop avancé :

— Comme ça !

— Vous l'avez peut-être connu du temps où... ?

— Précisément ! Je l'ai connu « du temps où » !

Les deux hommes se regardèrent un moment sans mot dire comme si ces simples mots eussent suffi à les dresser l'un contre l'autre.

— Faites-le venir, dit Aboody. Demain matin, vers 11 heures... Comment l'appelez-vous, à propos ?

— Qui ?

— Votre oiseau rare.

— Vorobeïtchik.

— Et vous vous êtes souvenu d'un tel nom ?
Bravo !

— Le prénom m'y a aidé.

— Ah ! oui. Et c'est ?...

— Wenceslas, dit Steve. Maintenant je vous demande la permission de filer. Si vous voulez que je mette la main sur mon homme ce soir encore.

— C'est juste. Allez... et merci !

Steve avait déjà un pied hors de la pièce quand Aboody le rappela :

— Steve...

— Oui, patron ?

— Pourriez-vous vous servir d'une machine à écrire à l'occasion ?

— Certainement ! Comme haltère. Mais si j'avais à taper une lettre...

— ... Vous ne vous y prendriez pas mieux que le Dragon vert ?

— J'allais le dire. Bonsoir, patron ! Et ne vous frappez pas avant terme... On ne meurt qu'une fois !

— J'allais le dire ! répondit Aboody.

Steve n'était pas sorti depuis cinq minutes que la porte se rouvrit et que Mona entra.

Pâle et l'air étrangement résolu, elle s'avança jusqu'au bureau, ne s'arrêtant que lorsqu'il lui fit obstacle.

— Je vous croyais partie ? dit Aboody.

Elle ignora la question :

— Vous lui avez dit ?...

— Quoi ?

— Que vous et moi ?...

Aboody parut étonné :

— Non. Je n'aime pas me vanter.

— Vous l'avez surpris qui m'embrassait. Vous auriez pu vouloir le décourager...

— Rassurez-vous ! dit amèrement Aboody. J'aime trop ce garçon pour lui faire de la peine.

— Vous, l'aimer ?... Vous le détestez !... Vous n'aimez personne que vous ! Et peut-être votre femme... A moi, il pourrait arriver n'importe quoi : vous en seriez quitte pour engager une autre secrétaire, tout aussi pauvre, tout aussi seule, et que vous ne payeriez pas plus cher !... Eh bien, justement, il se trouve qu'il m'est arrivé quelque chose ! Il se trouve que je suis tombée amoureuse, follement, passionnément amoureuse...

— De Steve ?

— Oui, de Steve, et je tenais à vous en prévenir tout de suite : si jamais vous cherchiez à nous séparer, à me l'arracher, je crois que...

Mona, brusquement, se tut.

— Je sais ! dit Aboody. Les filles comme vous ne rêvent que de marche nuptiale, d'un mari en pantoufles et d'une maison pleine d'enfants. De vrais anges du foyer ! Et, pour réaliser ce rêve, elles iraient jusqu'au crime... Maintenant que j'y pense, je me demande même si ce n'est pas vous qui m'auriez adressé ces lettres ?

— Quelles lettres ?

— Celles-ci, vous savez bien... Signées : *Le Dragon vert*... et dont l'auteur cherche à m'extorquer la forte somme... Supposons que je paie. Cela vous ferait une jolie dot !

Mona avait encore pâli :

— Comment osez-vous ?... Vous êtes odieux !

Aboody soupira :

— Ma femme aussi m'a déjà dit ça. Je finirai par

croire que je n'ai pas la manière avec les femmes. Pourtant, ajouta-t-il comme malgré lui, je ne vous ai jamais rien demandé...

— Non, reconnut Mona. Vous me paraissiez désemparé, malheureux. J'ai cru pouvoir vous consoler...

— Je vous ai fait pitié ?

— O...ui, si vous voulez !

— Revenez tout de même demain, dit Aboody, impassible.

IV

— Whisky ? proposa Aimé Malaise.

— Whisky, dit Vorobeïtchik.

Ils venaient de se retrouver comme par miracle après cinq ans, cinq longues années dont ils mesuraient la fuite en s'observant l'un l'autre à la dérobée. Et ils n'auraient jamais cru qu'ils auraient tant de choses à se raconter. Malaise : comment il avait percé l'imposture du révérend Quires, le pasteur aux sept femmes légitimes, « le dernier des mormons », comme l'avait baptisé la grande presse. Vorobeïtchik : comment il avait réussi à prévenir un attentat sur la personne d'un prince régnant en perdant au Derby d'Epsom. Malaise : comment, dans l'affaire du Grand Cirque, il avait soupçonné un innocent par la faute d'un chien savant et arrêté le vrai coupable grâce à une otarie. Vorobeïtchik : pourquoi il avait rompu avec Maria-Bianca (une vilaine histoire de spaghetti...) Malaise : comment, dans l'affaire des « veuves vierges », il avait failli être cousu dans un sac par une divorcée. Vorobeïtchik : comment le fantôme

familier des Lardoisier avait résolu à sa place
« l'énigme de l'homme sans tête »...

— Whisky ? proposa Vorobeïtchik.

— Whisky, dit Malaise. Si tu m'expliquais maintenant ce que tu fais à Shanghaï ?

— J'y étais venu pour le week-end. Et puis j'ai appris que le gouvernement chinois offrait une prime pour l'arrestation d'une bande de faux-monnayeurs... Je dépense la prime.

— Veinard ! Je voulais te proposer de jouer les drinks au poker-dice, mais maintenant...

— Et toi, un « officiel » ? Si tu files un type depuis Paris, il doit commencer à se demander où il t'a déjà vu ?

Malaise retourna le revers de son veston de tussor où brillait un insigne amoureusement poli.

— *B.I.S.*, lut Vorobeïtchik. Ce qui veut dire ?...

— Brigade Internationale des Stupéfiants, traduisit fièrement Malaise. Moi aussi je guigne une prime..., ajouta-t-il en confidence.

M. Wens avait tiré un étui à cigarettes de sa poche :

— Il est si aisé de se procurer de l'opium aujourd'hui — n'importe quel marchand de tabac en a sur son comptoir — que j'en imaginais la vente libre.

— Le gouvernement n'a pas désarmé, et ne désarmera jamais. D'ailleurs les marchands de tabac ne débitent que de la drogue plus ou moins avariée et par infimes quantités. L'ennui pour nous, c'est que la plupart des fumeries sont installées à bord de sampangs et que la loi ne peut rien contre elles. Le pavot, les dieux savent pourquoi, a le droit de fleurir sur l'eau !

— Cigarette ? proposa M. Wens. Je ne suppose tout de même pas que tu aies pour mission de décourager les petits trafiquants ?

— Non, le gouvernement chinois soupçonne l'existence d'une vaste entreprise de contrebande disposant de ses propres moyens de transport et de ses comptoirs de vente secrets... et c'est pour la découvrir que je suis ici. Car les Fils du Ciel sont encore convaincus d'une chose, c'est que l'homme qui leur fait échec est un Blanc.

— Et toi, qu'en penses-tu ?

— Je pense comme eux... car ma tâche est pratiquement achevée. Je sais comment la drogue franchit les cordons douaniers, je sais quel pavillon la couvre, je sais où on la fume.

— En ce cas, à moins que tu ne te débattes toi-même dans les rets de quelque jolie *san* (1), je ne vois pas ce qui t'empêche de relever tes filets ?

— La crainte que le coupable ne passe à travers.

— Tu le connais donc ?

— Comme on sait que l'été fait partie des quatre saisons. Je soupçonne quatre hommes. Pour arrêter le bon, je n'attends plus qu'un signe, ou un changement de marée...

— Passionnant ! Tes suspects, je les fréquente peut-être ?

Malaise exhala vers le plafond — où elle fut aussitôt happée par un ventilateur — une épaisse bouffée de fumée.

— Peut-être !... Ici, on ne sait jamais à qui l'on parle.

Au même instant un homme d'une trentaine d'années s'approcha délibérément d'eux :

— Monsieur Vorobeïtchik ? Vous ne vous souvenez pas de moi ? Steve Alcan...

— J'avoue que je ne vois pas..., commença M. Wens. Mon ami, M. Malaise.

— Enchanté, dit machinalement Steve. Je viens de

_____

(1) Demoiselle.

28

votre hôtel dont le portier connaît heureusement vos habitudes, reprit-il à l'adresse de M. Wens. Puis-je vous parler immédiatement et — excusez-moi, monsieur — seul à seul ?

M. Wens hésitait. Malaise prévint sa réponse :

— Les affaires sont les affaires. Rendez-vous ici demain, à la même heure ? Je te laisse mon adresse et mon numéro de téléphone.

— Peut-être pourrions-nous nous installer à l'écart ? suggéra Steve, Malaise sorti.

M. Wens acquiesça.

— Vous ne portiez pas le nom d'Alcan quand je vous ai connu à Paris, dit-il soudain.

Steve sourit de toutes ses dents :

— Je vois que la mémoire vous revient ! Il y a des gens qui ne pensent qu'à changer de cravates ou de complets. Moi, je préfère changer de nom ! Et ma raison vaut les leurs : le premier ne me plaisait plus !

— Je comprends, dit M. Wens. Je crains d'ailleurs de l'avoir oublié.

— Merci ! Je travaille aujourd'hui dans une importante maison de la place : Aboody, Lawrence et C°, *Import-Export*. Je suis le secrétaire d'un des deux *tât-tou-tze* (1) : Herbert Aboody. Or, voilà plus de quinze jours aujourd'hui qu'il reçoit des lettres anonymes exigeant de lui le paiement de cinquante mille dollars, une paille. Enfin, quand je dis : anonymes !...

M. Wens écouta Steve Alcan avec un intérêt croissant et sans qu'il eût à aucun moment conscience de la fuite de l'heure.

— Aboody vous attend demain, vers 11 heures, acheva Steve, après un dernier commentaire. Puis-je le prévenir que vous viendrez ?

(1) Littéralement : gros ventre.

M. Wens regarda longuement son interlocuteur comme s'il cherchait à lire au plus secret de lui-même.

— Je pense bien ! dit-il enfin. Je déteste les histoires « à suivre »... Barman !

Il avait tiré un billet de sa poche. Le barman s'en saisit avec une courbette, se dirigea vers la caisse, puis en revint, l'air consterné :

— Mille pa'dons, missié. Missié donné billet faux.

— Encore ? s'exclama M. Wens, rectifiant son erreur. Des contrefaçons que je garde en souvenir, expliqua-t-il à Steve. Je me trompe de poche une fois sur deux.

— Et combien de fois cela prend-il ? demanda Steve.

V

— Vo - Vorobeït - chik ? répéta le portier, l'air incrédule.

— La preuve ! dit M. Wens, lui tendant une de ses cartes de visite.

— Vous avez rendez-vous ?

— Non. *J'avais*... A 11 heures. Il est le quart.

Le portier jeta un dernier coup d'œil au bristol qu'il tenait à la main. Il le porta ensuite à un Chinois qui n'eut rien de plus pressé que de le transmettre à un autre Chinois.

« Bigre ! se dit M. Wens. Mon homme est bien gardé... »

Mieux gardé encore qu'il ne le croyait :

— Missié bien vouloi' veni' ?

Il se retourna : un troisième Chinois s'inclinait à deux pas, à la façon d'un magot :

— Mr Aboody le recevoi' immédiatement.

M. Wens suivit son guide jusqu'à une porte marquée : *Private* d'où provenaient des éclats de voix confus.

— Missié bien vouloi' s'asseoi'... (Le Chinois chercha l'inspiration :) Mr Aboody le recevoi' immédiatement.

Négligeant le siège offert, M. Wens s'absorba dans la contemplation d'une carte de l'océan Indien, puis dans celle d'un diagramme.

— Et ces factures consulaires que je vous réclame depuis trois jours ? cria une voix furieuse, de l'autre côté de la porte. Vous ne les avez pas retrouvées non plus.

— ...

— Je vous donne quarante-huit heures, monsieur Matriche, pas une de plus ! Passé ce délai, si vos livres ne sont pas aussi lisibles qu'un album d'Epinal, je saurai quoi faire !

— Moi aussi !

— C'est une menace ?

— Un choc en retour !

— Sortez d'ici ! Je ne sais ce qui me retient de...

Un bruit de chaises remuées couvrit la fin de la phrase. « *Exit* M. Matriche ! » pensa M. Wens.

— Je vais vous le dire, moi ! La peur du gendarme !

La porte du bureau directorial se rouvrait. Une manière de géant au collier de barbe poivre et sel en déboula comme un lapin, s'il arrivait aux lapins de débouler à reculons.

— Pardon ! dit M. Wens, trop lent à se garer pour éviter une collision.

— Pardon ! grommela l'autre, à retardement.

Avec ses yeux de braise et son costume de toile blanche avachi, il ressemblait moins à un chef comptable qu'à un *high-jacker* (1) en bordée.

La porte était démesurément entrouverte.

— Je suis sûr que cet homme me vole ! dit une voix que la colère enrouait encore, la voix d'Aboody.

— Moi aussi, répondit celle de Steve, mais je ne m'en ferais pas, si j'étais de vous... Il a de très petits besoins.

M. Wens estimait en avoir assez entendu. Il toussa en se rapprochant de l'entrebâillement.

— Entrez, entrez ! dit vivement Aboody, se levant pour l'accueillir. Je ne vous présente pas M. Alcan, mon secrétaire, puisque c'est à lui que je dois le plaisir de votre visite. Miss Lindstrom, vous porterez ces lettres à l'expédition et vous passerez chez Chen d'où vous me rapporterez un état détaillé des ventes opérées depuis lundi. Vous aussi, Steve, laissez-nous... Un « Corona », monsieur Wens ? Ou préférez-vous une cigarette ?

M. Wens refusa d'un signe. En dépit de la cordialité de son accueil et de son apparente désinvolture, il était visible qu'Aboody avait les nerfs tendus à se rompre. Cela se remarquait à des détails : un imperceptible frémissement de la main posée sur le coffret à cigarettes, ce tic qui lui tirait l'œil vers la tempe, ce regard qui devenait fixe et comme absent...

— Je pense que Steve vous aura fourni toutes les explications que vous pouviez souhaiter ? reprit Aboody, l'œil fixé sur la porte. Que me conseillez-vous ? ajouta-t-il avidement.

— Je voudrais voir les lettres que vous avez reçues

(1) Pirate, aventurier de la Rum-Row.

et que vous m'en confiiez deux ou trois pour analyse, répondit indirectement M. Wens. Je voudrais aussi que vous me fassiez dresser une liste des membres de votre personnel. Vous connaissez-vous des ennemis ?

— Quelques-uns, comme il est normal dans ma situation.

— Concurrents évincés, clients mécontents ?

— C'est cela, oui !

— Pas d'inimitiés plus... personnelles ?

— Peut-être, si... Nous avons tout le temps d'en reparler !

— J'estime, tout au contraire, qu'il nous en reste fort peu ! insista M. Wens. Nous sommes le 11. Si je n'ai pas démasqué le Dragon vert avant demain soir, il ne nous restera d'autre ressource que de nous enfermer ici, armés de pied en cap, jusqu'à l'aube du 13... Remarquez que, s'il ne nous arrive rien cette nuit-là, cela n'écartera pas pour autant la menace de votre tête...

Aboody réfléchissait, le sourcil froncé.

— Tant pis ! dit-il enfin. Au demeurant, mes ennemis me craignent plus encore qu'ils ne me haïssent... J'en fais mon affaire ! acheva-t-il, buté.

Au même moment un chat noir, entré Dieu sait comment, peut-être quand Mona et Steve étaient sortis, sauta sur les genoux de M. Wens, reconnut rapidement les aîtres et s'y pelotonna sans plus de façon en ronronnant comme un moteur d'avion.

— Confucius n'est pas si... direct, d'habitude, constata Aboody. J'aime les chats, confessa-t-il après un temps, et comme à son corps défendant.

Un sourire, le premier, était monté de ses lèvres à ses yeux. Il paraissait soudain dix ans de moins.

— Moi aussi, dit brièvement M. Wens. Savez-vous ce que je devrais faire ? ajouta-t-il pensivement. Je devrais vous prier d'engager les services de quelqu'un d'autre, quelqu'un en qui vous auriez toute confiance.

Aboody haussa les épaules, l'air très fatigué tout à coup :

— Je le regretterais. D'autant que mon attitude demeurerait inchangée. Voyez-vous, je... Je déteste appeler à l'aide !

M. Wens gratta Confucius derrière l'oreille.

— Mes honoraires s'élèveront à deux mille dollars, dit-il. Cinq en cas d'attentat. Ma vie vaut la vôtre. Pour moi, elle vaut même davantage. En outre j'exerce le métier de détective, non celui de garde du corps.

— Je comprends..., murmura Aboody. Je vous paie par chèque ? ajouta-t-il avec la même simplicité.

— Comme il vous plaira.

— Et que comptez-vous faire... maintenant ? questionna Aboody, reposant son porte-plume.

— Payer, dit M. Wens.

— Payer ! répéta Aboody, incrédule.

M. Wens tira de sa poche des billets par poignées :

— Vous avez bien du papier et un bout de ficelle ?

Le regard d'Aboody s'éclaira :

— Des billets faux ?

— Vous l'avez deviné. Mais le mendiant nous mènera peut-être ainsi à celui que nous désirons atteindre. Aurez-vous besoin de Steve Alcan cet après-midi ? J'aurais aimé qu'il me donne un coup de main. J'ai déjà prévenu l'un de mes vieux amis, mais nous ne serons pas de trop de trois si nous ne voulons pas que notre homme nous glisse entre les doigts.

— Je l'appelle, dit Aboody qui examinait les billets par transparence. Etonnant ! On jurerait des vrais.

— N'est-ce pas ? dit complaisamment M. Wens, en prenant un à son tour.

Au même instant Aboody le vit pâlir et sut que quelque chose de vraiment grave était arrivé.

— Que se passe-t-il ? Qu'avez-vous ? questionna-t-il vivement.

— Je me suis de nouveau trompé de poche, dit M. Wens.

Le mendiant — deux minutes de filature suffirent à en convaincre ses suiveurs — se dirigeait tout droit vers le quartier chinois.

Steve allait devant, nez au vent, l'air ésotérique. Malaise marchait à gauche (mais ne cessait de regarder à droite) et M. Wens fermait la marche. Ils enfermaient ainsi le Chinois dans une sorte de triangle.

Le mendiant avançait avec une étonnante rapidité pour un aveugle. Les passants qu'il croisait — les indigènes, tout au moins — s'effaçaient d'ailleurs sur son passage comme s'ils obéissaient à quelque mystérieux mot d'ordre ou comme si l'homme était marqué d'un signe, visible pour eux seuls. Avec sa canne dont il battait l'air autour de lui comme d'une antenne, sa défroque noire luisante d'usure et son buste trop gros pour ses jambes grêles, il faisait songer à un insecte se hâtant vers son nid.

M. Wens comprit ce qui allait arriver à l'instant même où il vit Steve assailli par trois mendiants. Il voulut intervenir, mais il n'était déjà plus temps. Les mendiants — miraculeusement dédoublés — bloquaient la rue étroite, imploraient la charité d'une voix pleurarde, s'accrochaient aux trois hommes, dressaient un véritable mur entre eux et leur congénère.

Malaise réagit le premier, et avec une violence telle qu'un mendiant alla s'aplatir contre un mur et un autre s'étaler sur le sol. Mais un rickshaw arrivait comme une flèche, dont le conducteur, comme par hasard, n'eut pas le temps de freiner. Il s'enfonça dans le groupe comme un coin, parachevant la confusion...

— Il vous a eus, hein ? dit Aboody, comme M. Wens et Steve entraient dans le bureau.

— Il s'est soustrait à nous par une multiplication, dit Steve. La multiplication des mendiants.

— Je m'attendais à un tour de ce genre, dit à son tour M. Wens. Mais, comme a dit Goethe : *Bei so grosser Gefahr kommt die leichteste Hoffnung in Anschlag...* « Dans un si grand danger, il faut prendre en considération le plus faible espoir », traduisit-il à tout hasard.

Aboody s'était tourné vers Steve :

— Je vous invite à dîner, Steve ! J'ai pas mal de travail en retard — Lawrence rentre le 14, né l'oubliez pas ! — et je compte sur vous pour me donner un coup de main tout en buvant votre café... Partez le premier, ajouta-t-il. Vous préviendrez ma femme.

Steve accepta avec un empressement qui n'échappa pas à M. Wens. En fait il ne se rappelait pas avoir jamais vu homme opérer sortie aussi foudroyante.

— Le Dragon vert a les réflexes prompts, dit Aboody, après avoir observé de ses yeux clairs le moindre mouvement de son secrétaire. Lisez !

Il prit sur son sous-main une feuille de papier pareille à celles dont son tiroir regorgeait :

— Cette lettre m'est parvenue par le courrier de 6 heures, comme toutes les autres, mais non timbrée cette fois.

Dernier avertissement ! écrivait le Dragon vert.

Nous vous donnons jusqu'au 12, à minuit, pour nous verser cent mille dollars — cent mille vrais, et non plus cinquante mille faux, toute sottise se paie ! — ou vous ne verrez pas l'aube du 13.

Et il ajoutait en post-scriptum :

Nous ne jugeons pas utile de changer de mendiant, mais nous vous suggérons de changer de conseiller.

M. Wens comprit pourquoi Aboody avait appris sans autre surprise comment on s'était moqué de lui.

— Le Dragon vert a décidément tout prévu car, si cette lettre avait été écrite *après* mon échec, vous ne l'auriez pas déjà reçue, dit-il lui-même avec sérénité. Ceci me rappelle que j'aurais dû commencer par vous poser une question... Vu votre situation de fortune, n'avez-vous jamais songé à passer purement et simplement par les exigences de votre correspondant ?...

Aboody prit un cigare dans la boîte posée devant lui et en déchiqueta le bout à coups de dent :

— Si, je l'avoue ! Mais, outre que je répugne à céder à la menace, je ne dispose pas actuellement des cinquante mille dollars demandés, *a fortiori* de cent mille... Cela peut vous paraître étrange, mais tous mes capitaux sont sur mer.

M. Wens se devait d'insister. Il le fit :

— N'oubliez pas que votre vie même est en jeu ! Je

me suis laissé dire — ou j'ai lu quelque part — que Mrs Aboody possédait des bijoux valant plus de cent mille dollars ?

Aboody allumait son cigare.

— Ils sont à elle, et à elle seule ! dit-il brusquement, presque brutalement.

Il hésita, détourna les yeux :

— Voyez-vous, monsieur Wens, il existe un profond malentendu entre ma femme et moi, et ce malentendu s'aggrave chaque jour, malgré mes efforts et ma... ma patience. Je ne lui ai même rien dit des menaces dont je suis l'objet.

Sa voix tomba :

— Elles la laisseraient indifférente.

M. Wens se leva et se dirigea vers la porte. Quelque chose, dans cet étalage de faiblesse inattendu, le heurtait comme une fausse note.

— Croyez-vous ? dit-il. Je lui en parlerais, malgré tout...

VI

— Madame est là ? demanda Steve.

Et, sans attendre de réponse, fixé par l'air hésitant du maître d'hôtel, il courut à l'étage, pénétra dans une pièce, puis une autre, frappa enfin à la porte d'un petit studio où Floriane se réfugiait à ses heures de cafard :

— Au nom de la loi, ouvrez !

— Qui est là ?

— Moi ! dit Steve, poussant la porte.

Floriane fumait une cigarette, près de la fenêtre.

Elle était en noir, sans un bijou, et d'une pâleur mortelle, sa pâleur habituelle... maintenant.

— Steve ! Je suis contente..., dit-elle impulsivement.

Et l'on n'en pouvait douter : si elle ne souriait pas, du moins une fossette creusait-elle sa joue droite.

— N'allez pas mal me juger, mais je vous ai apporté des fleurs, dit Steve. Votre mari m'a invité à dîner ! ajouta-t-il précipitamment. Nous avons à travailler.

— Mon pauvre Steve ! En ce cas je vous prépare un *dry*.

Steve s'était avancé dans la pièce, tout imprégnée d'un parfum qui le hantait.

— Que faisiez-vous ? interrogea-t-il, tombant en arrêt devant un album de photographies ouvert. Vous vous penchiez sur votre passé ?

— Steve ! Laissez cela !

Mais Steve s'était déjà jeté sur un divan et feuilletait l'album :

— Ainsi, vous avez commencé par essayer de manger vos doigts de pied, comme tout le monde ?... Dieu me pardonne, mais vous voilà toute nue !... Et, ici, en culotte à festons !...

Floriane avait tiré deux carafes d'une cave à liqueurs et dosait les boissons.

— C'est vous, cette gosse aux yeux qui lui font le tour de la tête et qui serre un ours dans ses bras comme si c'était un enfant retrouvé ?... Et cette longue gamine en noir — vos premiers bas, je parie ! — qui a l'air honteuse de ses nattes ?... J'ai peine à vous reconnaître.

— Moi aussi, dit Floriane.

— Venez ici... Près de moi... Et expliquez !... Cette savane, qu'est-ce que c'est ?

Floriane se pencha et une lourde torsade de ses cheveux frôla le veston de Steve.

— Mon premier jardin, dit-elle. Mon premier vrai grand jardin. C'est là que j'ai découvert le monde, appris comment poussaient les plantes, et exercé mes premières armes sur de malheureux petits Steve... Je sens encore dans le creux de ma main le stérile élan des sauterelles que j'y enfermais...

— Une grotte ? questionna Steve, désignant une nouvelle image.

— Oui, sans fond — du moins je l'ai toujours cru, n'ayant pas le courage de m'y enfoncer — et où le sol restait miraculeusement sec, même l'hiver... Je me souviens d'y avoir été, selon mon caprice, une princesse captive, à la langue percée d'un coup d'aiguille par d'affreuses sorcières, trois trappeurs, à moi seule, défendant un blockhaus contre les Comanches, si ce n'étaient des Iroquois, et l'enchanteur Merlin, plein de ruse et plus vieux que le monde...

— Votre maison ?

— Oui... La fenêtre de ma chambre, on ne pouvait jamais la fermer tout à fait, à cause d'une branche de marronnier qui, les nuits de vent, battait régulièrement la tête de mon lit... Un lit d'acajou, avec une courtepointe Pompadour... Aujourd'hui encore, les nuits d'orage, il me semble entendre ce petit bruit de mon enfance et il suffit à me rassurer... Et les assiettes !... Les assiettes, Steve, sur lesquelles un artiste plus scrupuleux qu'inspiré avait peint une profusion de fleurs et d'insectes ! Je les admirais tant qu'elles me coupaient régulièrement l'appétit...

— Ce vieux monsieur ?...

— Mon père, dans sa bibliothèque... Il était grand, mais la bibliothèque plus grande encore, et je ne l'y découvrais jamais tout de suite... Quand je fus en âge de lire, je guettais son départ, j'entrais, le cœur battant, craignant à tout moment de tomber sur le général Dourakine ou Barbe-Bleue, car j'imaginais qu'ils vivaient là, et je grimpais sur l'échelle roulante comme un chat, convaincue que les plus beaux livres étaient nécessairement les plus inaccessibles... Je sens encore leur odeur, je me revois encore détachant anxieusement leurs pages piquées d'humidité, et hypnotisée par leurs dessins naïfs ou barbares... Je n'étais jamais lasse de légendes. Elles peuplaient mes songes de reîtres lavant leurs blessures dans l'eau lustrale de ruisseaux enchantés, de chevaux noirs galopant dans la nuit sans cavalier, de manoirs hantés où résonnait le rire inextinguible de femmes pendues par les cheveux... Que ne peut-on rester petite fille !

Steve referma brusquement l'album, et cela fit beaucoup plus de bruit qu'il n'eût voulu :

— Mais vous êtes restée petite fille !... Savez-vous ce que je regrette ?... De n'avoir pas été votre cousin, ou votre compagnon de jeu. Je pourrais vous dire, en vous offrant le creux de mon bras : « Reste là. Rien n'est arrivé. Tout peut arriver... »

Floriane se dégagea :

— Steve, je ne me trompe pas ?... Vous me faites la cour !

— Depuis le premier jour. Je comptais bien que vous finiriez par le remarquer.

— Et si je l'avais remarqué... depuis le premier jour ?

— J'en conclurais que votre pudeur seule vous a empêchée jusqu'ici de me prendre sur vos genoux.

— Vous ne penseriez pas plutôt que j'espérais ainsi vous décourager ?

Steve se frappa le front :

— Je vois ce que c'est ! Vous préférez les barbus !

Non ?... peut-être estimez-vous le roux trop voyant ?
Je peux m'oxygéner...

— Vous voulez la vérité ?

Floriane avait pris un air buté qui ressuscita miraculeusement la petite fille de l'album.

— Je n'ai pas envie de vous, dit-elle crûment, avec
un cynisme dont elle ne paraissait pas avoir conscience. Je n'ai envie de personne ! ajouta-t-elle
comme si elle venait seulement de s'en aviser.

— Même pas de Zetskaya ?

Floriane prit sur la table les boissons préparées et
tendit l'une d'elles à Steve :

— Votre *dry*. Ne vous a-t-on jamais dit encore que
vous étiez un peu mufle, mon petit Steve ? En ce cas
c'est chose faite.

— Quinze pour vous, dit Steve. Mais vous perdez
votre temps, *chiquita* ! Vous n'êtes jamais plus belle
que quand vous vous fâchez. Encore un mot sur ce
ton et je tombe à vos pieds. Pour en revenir à Zetskaya...

— Steve ! Je ne souffrirai pas...

— Quoi ? Que je vous dise ce que je pense de lui ?

— Ce que vous pensez de lui me laisse indifférente.

— Et que je n'ignore plus rien de la complicité qui
vous lie, cela ne vous touche pas davantage ?

Floriane reposa si brusquement son verre que le
pied se brisa :

— Je n'ai pas de comptes à vous rendre !

— Assurément non ! Mais j'aurais pitié d'un chien
— la preuve en est que mon appartement a tout du
chenil — et vous ne voudriez pas que ?... Demain
j'irai trouver Zetskaya.

— Vous avez envie qu'il fasse votre portrait ?

— Non, j'ai envie de lui démolir le sien !

Floriane chercha l'appui d'un fauteuil :

— Steve ! Si jamais vous vous mêlez de ça...

— Vous me flanquerez à la porte ? La belle affaire ! Je rentrerai par la fenêtre... J'appartiens au genre terre-neuve.

— Je n'aime pas les terre-neuve.

— Vous leur préférez les sloughis ?

Ils n'étaient plus qu'à un pas l'un de l'autre.

— Herbert — qui partage curieusement vos antipathies — m'a fait hier une scène affreuse et je n'ai pu m'y soustraire, dit Floriane d'une voix blanche. Mais qu'un homme qui ne vous est rien s'arroge les mêmes droits qu'un mari passe les bornes de l'odieux !

— Vous parlez comme au *Français* ! Ne vous suis-je vraiment rien ?

Steve prit Floriane aux épaules et l'attira à lui, malgré sa résistance.

— Quant à moi, ajouta-t-il sourdement, je ne connais pas deux façons d'aimer. Et je vous aime, même si vous me détestez... provisoirement ! Je vous aime et vous sauverai malgré tout !

Herbert Aboody, du palier, reconnut une des phrases prononcées par lui, la veille. Il entra :

— Ah ! quel précieux garçon vous faites, Steve ! Comme vous savez parler aux femmes !

— Bon... Eh bien, cela suffira pour ce soir ! décida Aboody, repoussant les paperasses qui encombraient son bureau. Je vous laisse le soin de revoir ces comptes de fret.

— En ce cas vous ne voyez pas d'objection à ce que j'aille me faire border par maman ?

— Allez vous faire border par qui vous voulez... Bonsoir.

— Bonsoir, patron.

Steve s'était dirigé vers la porte. Au moment de sortir, il hésita.

Qu'avait exactement vu et entendu Aboody quand il les avait surpris, Floriane et lui ? Peu de chose apparemment, car, de toute la soirée, il n'avait cessé de manifester le plus cordial abandon. Cependant Steve ne pouvait se défendre d'une sourde inquiétude : Aboody possédait un tel empire sur lui-même...

— Oublié de me dire quelque chose, Steve ?

— Non, non ! Je... Je me demandais simplement ce que vous comptiez faire demain soir ?

— Je ne pense pas avoir le choix ! Je m'enfermerai dans mon bureau avec *votre* M. Wens et j'attendrai — patiemment — que le Dragon vert veuille bien montrer le bout de l'oreille.

« *Poker face !* » grommela intérieurement Steve.

— Vous ne vous sentez pas un peu... nerveux ? insista-t-il.

— Nullement. Et vous ?

— Moi ?...

— Dame ! Vous courez les mêmes risques...

— Je ne comprends pas ! dit Steve, décontenancé.

— C'est pourtant simple. Chez vous aussi la mort peut entrer d'un instant à l'autre, et cela depuis votre naissance. A y bien réfléchir, j'ai même un avantage sur vous : je suis prévenu et je puis lui fermer ma porte.

Steve respira :

— Je n'y avais pas pensé... Bonsoir !

— Bonsoir. Mes hommages à votre maman.

Steve sorti, Aboody demeura un long moment pensif, le regard vide. Puis il attira à lui une photographie de Floriane encadrée de cuir bleu, réplique exacte de celle qui, dans son cadre de cuir rouge, ornait son bureau de Nanking Road. C'était une photographie prise par lui-même le jour de leur mariage et jamais photo, pensa-t-il amèrement, n'avait mieux mérité le nom d'instantané par tout ce qu'il implique d'immédiat et d'éphémère.

Quand il monta à sa chambre, de la lumière filtrait encore sous la porte du « reposoir » de Floriane. Il hésita, frappa :

— Puis-je entrer ?

— Si vous voulez.

Floriane lisait, sous la lampe.

— Je... Je voudrais vous demander quelque chose... Une... Une promesse plutôt.

Floriane releva les yeux :

— Laquelle ? Vous savez que je ne promets rien que je ne puisse tenir.

— Je désire...

Aboody se reprit :

— Je désirerais que vous ne sortiez pas demain soir.

— Et si l'envie m'en prend ?

— Refrénez-la. Je...

Aboody cherchait ses mots :

— Voilà des années que je vous laisse libre de faire ce qui vous plaît. Mais demain... Demain n'est pas un jour comme un autre.

— Pourquoi ?

— Peu importe pourquoi ! Ne pouvez-vous vous fier à moi ?

— Non.

Aboody soupira :

— Je vois que je suis obligé de vous en dire davantage. Il m'arrive une aventure ridicule. Je reçois depuis plus de quinze jours des lettres de menaces dont l'auteur exige de moi le paiement d'une forte rançon — cent mille dollars — si je ne veux pas être assassiné au cours de la nuit prochaine. Telle est la raison qui...

Floriane referma son livre dont elle marqua la page d'un signet :

— Ridicule, vous l'avez dit ! Que comptez-vous faire ?

— J'ai engagé les services d'un détective. Nous nous enfermerons demain soir dans mon bureau de Nanking Road et je serais bien étonné que le Dragon vert puisse pénétrer jusque-là.

— Le Dragon vert ?

— Tel est le nom que se donne l'auteur des lettres.

Aboody hésita. Il lui semblait réentendre ce que M. Wens lui avait dit en fin d'après-midi :

« Je lui en parlerais, si j'étais de vous... »

— Bien sûr, il y aurait une autre solution : payer... à supposer que j'aie les cent mille dollars ou que... que je puisse les trouver quelque part.

Floriane prit une cigarette dans un coffret de laque. Devançant le geste de son mari, elle l'alluma à l'aide d'un briquet d'or et en tira une longue bouffée.

— Vous m'étonnez ! dit-elle pensivement. Je vous ai connu moins pusillanime.

— Je ne crains pas pour moi ! dit vivement Aboody. Je ne vous aurais même rien dit de tout ceci si je... si l'idée ne m'était venue que le Dragon vert pourrait se servir de vous comme otage.

— Rassurez-vous : j'ai des amis qui sauraient me défendre.

— Et chez qui vous comptez vous rendre demain soir ?

— Je ne sais pas.

46

— Vous ne voulez donc pas me promettre ?...

— Non. Je ne suis pas sûre de tenir.

— Floriane...

— Oui ?

Aboody sut que toute insistance était inutile. Il alla pour sortir, s'arrêta :

— Au moins avez-vous mis vos bijoux en lieu sûr ?

— Oui.

— Vous les avez portés à la banque ?

— Non.

— Peut-être le devriez-vous ?

— Peut-être !

Floriane bâilla :

— Je suis fatiguée. Je voudrais me coucher.

— Eh bien... Bonne nuit !

— Bonne nuit.

Aboody ne monta pas tout de suite à sa chambre.

Il descendit d'abord au fumoir et s'y versa un grand verre de whisky qu'il avala d'un trait, comme une drogue, ou un somnifère.

VII

Zetskaya venait d'allumer le bâtonnet de santal propitiatoire qu'il brûlait chaque jour, au petit bonheur, devant la statue de Fô, quand Floriane entra en coup de vent :

— Piotr !...

« Hypertendue », jugea-t-il d'un coup d'œil.

— Bonsoir ! dit-elle, comme malgré elle, en lui retirant la main qu'il avait portée à ses lèvres.

Piotr !... Je viens d'avoir — hier soir — une nouvelle scène à votre sujet ! Avec le secrétaire de mon mari, cette fois : Steve Alcan... Vous connaissez Steve ?... Il a l'intention de venir ici aujourd'hui même et de... de vous chercher querelle.

Zetskaya parut enchanté :

— Je le recevrai avec plaisir... à condition, toutefois, qu'il remette sa visite. Je dois m'absenter à 6 heures.

Floriane, qui ôtait son manteau, sursauta :

— Vous absenter ?... Mais alors vous n'allez pas pouvoir me remettre le ?... Je croyais que...

— Lotus a des ordres. Elle vous téléphonera ce soir. Peut-être même ira-t-elle vous prendre chez vous.

— J'ai peur de Lotus, Piotr ! Si elle pouvait me... me tuer, me... me torturer, elle le ferait sans hésiter. Elle est tellement jalouse !

Zetskaya ne put s'empêcher de sourire à son propre reflet, dans la glace :

— Rassurez-vous, *Sweetie* ! Lotus a encore plus peur de moi que vous n'avez peur d'elle. Je l'ai... dressée.

— Mais si vous n'êtes pas là ?...

— Préférez-vous attendre ?

— Vous savez bien que je ne le puis pas, que c'est devenu une question... d'heures. Serez-vous absent longtemps ?

Zetskaya s'adressa un second sourire dans la glace :

— Tout juste une nuit. La nuit du 12 au 13.

Malaise considéra avec méfiance le garçon qui attendait la commande, puis le menu en chinois qu'il tenait à la main :

— Je ne peux tout de même pas quitter Shanghaï sans avoir goûté de leur sacrée cuisine ! Histoire d'avoir quelque chose à raconter aux copains en rentrant... Quelle est la traduction chrétienne de *Yen-Okh* ? demanda-t-il à M. Wens d'un ton plein d'espoir.

— Nids d'hirondelle.

— Diable !... Et de *Yu-Chih* ?

— Ailerons de requin.

Malaise ferma les yeux et désigna un plat au hasard sur la carte.

— Ça ! dit-il, péremptoire.

— Un steak, commanda à son tour M. Wens. A point.

— Et alors ? dit Malaise, suivant le garçon d'un regard rancunier. Où en es-tu ?

— Nulle part, reconnut M. Wens. Le Dragon vert a tout de même jugé bon de changer de coursier. Le premier mendiant n'était qu'aveugle et muet. Le second, de surcroît, a les pieds plats.

— Quant à moi, j'ai passé toute la journée aux *head quarters* (1) et j'y ai soulevé assez de poussière pour meubler un château hanté...

— Pas de « Dragon » ?

— Au contraire, des masses ! Trois Jaune, deux Bleu, un Rouge, un Noir... mais aucun de la couleur qui nous intéresse.

— Il en a peut-être changé pour la circonstance ? Nous avons peut-être affaire à un dragon-caméléon ?

— Que comptes-tu faire ?

— Ce qui a été décidé : m'enfermer tout à l'heure

(1) Quartier général de la police.

49

avec Aboody dans son bureau et y attendre que l'aube se lève, tandis que tu fumeras ta pipe en arpentant Nanking Road... Au fond, de nous deux, c'est moi qui ai la meilleure part.

Malaise envoya promener d'une chiquenaude la boulette de pain qu'il était en train de triturer :

— Je n'aime pas te voir aussi confiant ! Imagine que le Dragon vert parvienne jusqu'à vous...

M. Wens haussa les épaules :

— Tu l'apprendrais par les journaux du matin.

— Les *tongs* ne plaisantent pas !

— Moi non plus.

— Ta peau vaut plus de cinq mille dollars !

— Je ne pouvais tout de même pas en demander cent mille... ou Aboody m'aurait soupçonné d'être moi-même le Dragon vert !... Et l'amusement, tu le comptes pour rien ? Si j'ai perdu l'habitude de rechercher le danger, je n'ai pas encore pris celle de le fuir.

Malaise paraissait de plus en plus soucieux :

— Je ne sais si je fais bien de te dire... ce que je vais te dire ! Mes amis jaunes, s'ils m'entendaient, ne me le pardonneraient pas... Tu te souviens que je suis sur la trace de trafiquants d'opium et que je n'attends, pour les embarquer, que d'être sûr de l'identité de leur chef ?

— Oui. Tu as ajouté que tu soupçonnais également quatre hommes, mais tu ne m'as pas dit qui.

Malaise triompha d'une dernière hésitation :

— Je vais te le dire maintenant ! Mes quatre suspects sont Herbert Aboody, Lawrence, son associé, un certain Zetskaya que tu ne connais probablement pas, et notre allié bénévole d'hier : Steve Alcanian... Tu vois si j'ai raison de te conseiller la prudence ?

M. Wens demeura un moment songeur :

— Et moi si j'ai raison de ne pas t'écouter ? Vue sous ce jour, la partie promet d'être plus passionnante encore !

Le garçon revenait, une assiette dans chaque main.

— Ton steak, grommela Malaise, à bout d'arguments.

— Et le tien, dit M. Wens. Tu auras mal visé.

VIII

Aboody jeta un coup d'œil à son bracelet-montre — il était 7 heures et demie — décrocha le récepteur du téléphone et, la standardiste étant partie, composa lui-même le numéro qu'il appelait en vain depuis 6 heures :

— Allô, Ti-Minn ?... Madame est là ?... Appelez-la, je vous prie.

Aboody s'était machinalement saisi d'un crayon qu'il faisait tourner entre ses doigts. Il perçut le bruit étouffé d'une porte ouverte et refermée, puis celui de hauts talons qui s'approchaient. « Allô ! » fit une voix lointaine et comme enrouée, la voix de Floriane dans ses mauvais jours.

— Floriane ? Herbert... Je vous appelle du bureau. Avez-vous réfléchi à notre dernière conversation ?

— Oui.

— Et... Vous êtes-vous décidée à écouter la voix de la raison ?

— Non.

Un temps :

— Il est d'ailleurs inutile que vous me rappeliez. Je m'habille pour sortir.

Le crayon se brisa comme une allumette dans les doigts d'Aboody :

— Où allez-vous ?

— Je ne sais pas encore.

— Je le sais, moi !... Floriane, écoutez... Floriane !...

Aboody garda l'écouteur à l'oreille un moment encore, puis à son tour, lentement, raccrocha. Qu'eût-il pu faire de plus ?... Il avait tout tenté.

— *Johnny Walker*, eau à ressort, sandwiches au caviar et au poulet ! annonça Steve Alcan en entrant, un paquet sous chaque bras. J'ai fait déboucher les bouteilles car je ne pense pas que vous ayez de tire-bouchon.

Aboody s'arracha à ses pensées :

— Tout le monde est parti ?

— Oui, sauf Matriche. On l'entend, de Nanking Road, qui gomme et qui gratte...

— Je ne veux pas de lui ici ce soir : vous l'emmè-nerez avec vous... J'aime à croire que votre subtil détective ne se fera pas trop attendre ?

— Mais il est là, bouclant portes et fenêtres !... Il s'en est même fallu d'un rien qu'il ne me des-cende !...

— Qu'est-ce qui l'en a empêché ?

— Le *Johnny Walker*, dit une voix.

Les deux hommes se retournèrent d'un même mouvement. M. Wens, adossé à la porte, leur souriait gentiment.

— J'espère que le Dragon vert ne possède pas comme vous le don de passer à travers les murs, ou il ne me resterait qu'à me recueillir avant ma fin der-nière ! grommela Aboody.

Steve ne put s'empêcher de penser qu'un tel don n'était pas l'apanage de M. Wens et que Herbert

Aboody ne s'entendait pas moins à surgir sans bruit et à l'improviste quand on l'eût souhaité à cent lieues de là.

— Je vous laisse, dit-il. J'ai invité une jeune femme à dîner et elle doit en être déjà à l'addition. Bonsoir, patron, et... bonne chance !

— « Bonne chance » vous-même ! grommela Aboody.

— Je vous accompagne, dit M. Wens.

En passant, ils frappèrent à la porte de Matriche.

— On ferme ! cria Steve. Vous venez... ou préférez-vous coucher là ?

Matriche tarda à ouvrir. Il était tout ébouriffé et avait une tache d'encre sur le nez :

— Quelle heure est-il ?

— Près de 8 heures, dit Steve, et on ne vous paiera pas vos heures supplémentaires... Combien de zéros avez-vous éliminés ?

Matriche rentra dans son bureau, éteignit la lampe qui projetait une lumière aveuglante sur les colonnes de chiffres qu'il révisait et reparut, coiffé d'un panama d'une propreté douteuse :

— Vous m'excuserez si je ne ris pas ?

— Bien sûr ! dit Steve. A votre place, je ne rirais pas non plus.

M. Wens leur ouvrit lui-même la porte d'entrée et en profita pour jeter un coup d'œil au-dehors.

— Vous cherchez votre copain ? dit Steve, levant un pouce désinvolte. Le voilà, de l'autre côté de la rue, déguisé en flic. A propos, méfiez-vous des sandwiches ! ajouta-t-il sur le ton de la confidence. Ils sont à l'arsenic.

— Merci du tuyau, dit M. Wens. J'ai un masque à gaz.

Quand il réintégra le bureau, Aboody arpentait la

pièce de ce pas incertain propre aux hommes actifs mal préparés à un repos forcé.

— Partis ? questionna-t-il. Tous les deux ?... Voulez-vous que nous inspections les aîtres ?

— J'allais vous le proposer.

M. Wens désigna une petite porte commandant à une entrée dérobée dont Aboody était seul à user et qui ouvrait dans une impasse perpendiculaire à Nanking Road.

— Vous avez la clef de cette porte ?

— La voici. Et voilà celle de l'entrée particulière donnant dans l'impasse. Une *Yale*, comme vous voyez.

— Donnez. Je tiens à m'assurer par moi-même que personne ne peut s'introduire par là.

M. Wens se trouva dans un étroit couloir faiblement éclairé par une imposte. A gauche, un portemanteau de bambou. A droite un petit lavabo surmonté d'une glace mal étamée.

— Vous m'avez dit que certains de vos employés détenaient une clef de la porte principale. Les avez-vous priés de vous les remettre pour cette nuit, comme convenu ?

— Oui. Ma parole, grâce à vous, je suis farci de clefs !

— Il n'en reste donc aucune en circulation ?

— Non... Ou, plutôt, si ! Une. Celle de Lawrence. Mais Lawrence est à Canton et ne reviendra qu'après-demain si j'en crois son dernier télégramme. Je l'imagine d'ailleurs mal jouant les dragons.

— Pourquoi ? Vous avez toute confiance en lui ?

— Non, mais il n'est pas homme à sortir après 8 heures.

— Avez-vous songé à donner campos à votre veilleur de nuit ?

— Oui. Le bonhomme en aurait pleuré. Je crois qu'il ne dort bien qu'ici.

M. Wens referma la porte qui commandait à l'entrée particulière et rendit les clefs à leur propriétaire :

— Toute réflexion faite, je préférerais que vous vous enfermiez dans cette pièce tandis que j'inspecte la salle commune et les autres bureaux...

— Pourquoi ? Vous pensez que quelqu'un a pu s'y laisser volontairement enfermer ?

— Tel est, du moins si j'étais l'émissaire du Dragon vert, le moyen dont j'aurais usé pour vous atteindre le plus sûrement...

— Je vous accompagne, décida Aboody. Je préfère essuyer une balle que me morfondre en vous attendant.

M. Wens céda de mauvaise grâce :

— Comme il vous plaira ! Vous resterez derrière moi, ajouta-t-il, glissant lui-même une main dans la poche droite de son veston et passant le premier pour donner de la lumière dans la salle réservée aux employés.

Aboody lui prit soudain le bras. Un crépitement se faisait entendre au-dessus d'eux :

— Ecoutez !... Qu'est-ce que c'est ?...

— La pluie, dit M. Wens.

La pluie attendue par tout Shanghaï. Sauf par Malaise, bien sûr, dont elle risquait d'éteindre la pipe.

Une demi-heure plus tard, les deux hommes avaient acquis l'absolue certitude que le bâtiment ne contenait âme qui vive, sinon eux-mêmes.

Ils regagnèrent le bureau et M. Wens en ferma soigneusement à clef la porte vitrée :

— A propos, plus de lettre du Dragon vert ?

Aboody prit une feuille de papier étalée sur son sous-main :

— Si, j'oubliais ! Celle-ci...

Le Dragon vert écrivait :

Nous vous donnons jusqu'à 11 heures.

A 11 heures le mendiant s'éloignera et la mort s'approchera.

Leur style aurait plutôt tendance à s'améliorer, constata M. Wens, mais ils rompent avec la meilleure tradition en devançant minuit. En tout cas...

Il consulta sa montre :

— Cela nous vaut deux heures et demie de sursis.

Floriane, en robe bleu nuit, prête pour sortir, arpentait nerveusement la petite pièce où Steve l'avait surprise en tête à tête avec elle-même. Elle avait congédié les domestiques et Ti-Minn était montée se coucher tout de suite après le dîner. Ti-Minn se faisait vieille : elle n'aspirait plus qu'à dormir.

Le téléphone sonna dans une pièce à côté et Floriane se hâta de décrocher :

— Allô !... Oui... Oh ! c'est vous ! dit-elle, déçue. Oui... Ne pas sortir ce soir ?... Figurez-vous que mon mari m'a demandé de lui faire la même promesse, et j'ai refusé !... Oui... Mais pourquoi ?... Oh ! je vous en prie !... C'est cela !... Bonsoir, Steve !

A 10 heures moins 5, on sonna de nouveau, à la porte d'entrée cette fois. Floriane regarda vivement autour d'elle. Son sac à main qu'elle allait oublier ! Elle s'en saisit, l'ouvrit : sa poudre, son rouge à lèvres, son mascara, son browning...

Elle éteignit, dévala l'escalier.

Il est des bruits familiers dont on ne prend conscience qu'à la faveur de certaines circonstances. Ainsi M. Wens n'avait jamais remarqué jusqu'alors que le bureau d'Aboody contenait une horloge. Une horloge à gaine, en bois sculpté, datant du XVIIIᵉ. Maintenant il n'entendait plus qu'elle. Et la pluie. La pluie et le va-et-vient de la plume d'Aboody sur le papier. « Excusez-moi, avait dit Aboody, mais j'ai un travail urgent à terminer... »

Le tic-tac de l'horloge, le crépitement de la pluie, le grattement de la plume... A la longue, cela devenait aussi obsédant qu'un leitmotiv de Wagner, le cri d'un crieur d'eau ou la complainte des coolies ahanant sous le faix : *Ley-la, hui-la, hui-la, hang-la...* Eux aussi s'exprimaient sur deux notes. Comme l'horloge. Comme la pluie. Comme la plume.

— Un whisky, monsieur Wens ?

M. Wens sursauta :

— Merci.

— Merci oui ? ou merci non ?

— Merci non.

Aboody, qui s'était levé et inclinait déjà la bouteille de *Johnny Walker*, ne put cacher sa déception :

— Je croyais que les détectives raffolaient du whisky !

— Pas pendant la nuit du 12 au 13.

— Un doigt seulement, ou vous allez m'en priver ! Je ne peux souffrir de boire seul.

— En ce cas...

Le téléphone s'était mis à sonner.

— Vous permettez ? dit Aboody.

Il décrocha :

— Allô ? Oui... Un instant !... C'est pour vous, dit-il, tendant l'écouteur à M. Wens.

— Allô ! dit à son tour M. Wens. Oui... Non... Ah !... Non, bonsoir ! acheva-t-il, après avoir écouté un long moment sans mot dire. Un homme à moi que j'ai posté à proximité de votre domicile particulier, expliqua-t-il en raccrochant.

— Pourquoi ? Vous ne craignez tout de même pas que ?...

— Le Dragon pourrait ignorer que vous avez décidé de passer la nuit ici et vous chercher là-bas... Mais rassurez-vous : mon homme me téléphone que tout va bien.

En se détournant, M. Wens avait fait tomber du coude une photographie encadrée de cuir rouge. Il la redressa.

— Ma femme ! dit complaisamment Aboody.

— Excusez-moi, dit Steve.

Mona lui jeta un regard noir :

— Est-ce là l'idée que vous vous faites de la manière dont on invite une femme à dîner ? Non content de m'avoir fait attendre plus d'une heure, voilà deux fois que vous me quittez pour téléphoner... à Dieu sait qui !

— Cela n'est rien, dit Steve, appelant le maître d'hôtel d'un signe. Vous allez aussi devoir prendre votre dessert sans moi.

— Steve ! Vous plaisantez !

— Vous savez bien que je ne plaisante jamais !

— Si vous partez, je pars avec vous...

— N'y comptez pas ! Le personnel a des instructions pour vous garder de force. Je vous ai d'ailleurs commandé des crêpes flambées, du café et une fine 1874.

Mona se raidit. Elle avait les larmes aux yeux.

— Une femme ? questionna-t-elle.

— Naturellement !

— Si je savais que vous dites vrai...

— Le vitriol, hein ? C'est bien ce que j'avais prévu...

Mona ravala ses larmes :

— Je me demande bien pourquoi vous m'avez invitée à dîner !

Steve se leva :

— Je vais vous le dire. Pour me constituer un alibi !... A propos, vous ne m'avez pas dit que vous étiez la maîtresse d'Aboody ?... Si j'avais su, je vous aurais demandé une augmentation !

L'horloge, la pluie, la plume... La plume, la pluie, l'horloge...

Aboody reposa son stylo et se renversa dans son fauteuil en poussant un grand soupir d'aise :

— Terminé !... Si je dois être expédié dans un monde meilleur, du moins mon bon ami Lawrence n'y viendra-t-il pas me tirer les pieds... Encore un peu de whisky ?

M. Wens secoua la tête, mais Aboody lui avait déjà rempli son verre au tiers :

— Je vous le noie ?

— Merci. Merci non.

— *Kanpei !* dit Aboody, à la chinoise.

— *Na Zdravé !* répondit M. Wens à la bulgare, pour ne pas être en reste.

Aboody reposa son verre.

— « A 11 heures le mendiant s'éloignera et la mort s'approchera... » 11 h 45 : le mendiant doit s'engager dans Chapei maintenant, malgré ses pieds plats.

— Oui, dit M. Wens en étouffant un bâillement. Et la mort doit s'approcher à grands pas du 114.

L'homme lisait le *Daily Telegraph* avec une application qui se traduisait par l'imperceptible mouvement de ses lèvres. Grand et mince, il paraissait cinquante ans, mais on lui eût donné davantage sans ses cheveux blancs qui le rajeunissaient paradoxalement.

Une femme entra. Avec ses cheveux gris coiffés en bandeaux, son maquillage qui défiait l'esthétique et sa robe verte tombant inégalement, elle était jolie malgré elle, pourrait-on dire, comme beaucoup d'Anglaises.

— Archie a 39°5, dit-elle. Vous devriez aller chercher le docteur.

— Pourquoi ne pas lui téléphoner ? dit l'homme dans le fauteuil.

— Vous savez bien que notre appareil est dérangé...

— Envoyez-y Wang.

— Wang est au cinéma... Je sais que vous répugnez à sortir le soir, reprit la femme aux bandeaux gris comme si elle réprimait un reproche longtemps contenu, mais la santé de votre fils vaut bien, après tout, que vous rompiez avec vos habitudes.

— Certainement ! dit l'homme dans le fauteuil. J'y vais tout de suite, ajouta-t-il du même ton égal.

Il acheva la lecture de son article, rangea le journal, endossa un imperméable qu'il prit dans une armoire fermée à clef, coiffa un chapeau qu'il eut soin de brosser et sortit sans faire de bruit.

Dans la rue, comme il cherchait des yeux un taxi

ou un pousse, un passant, courbant le dos sous l'averse, le croisa et se retourna.

— Bonsoir, Mr Lawrence ! jeta-t-il cordialement. Sale temps !

— Sale temps ! fit, à contrecœur, J.-J. Lawrence.

Ley-la, hui-la, hui-la, hang-la...

M. Wens ouvrit les yeux au prix d'un effort qui inonda son front de sueur.

Aboody l'observait de derrière son bureau tirant sur un cigare éteint et tiquant de l'œil gauche.

— Fatigué ? questionna-t-il d'une voix pâteuse. J'avoue que j'éprouve moi-même une singulière envie de dormir... Ça doit être la tension nerveuse ! conclut-il en écrasant sans nécessité son mégot dans un cendrier.

— Ou le whisky ! dit M. Wens. Le Dragon vert y a peut-être introduit un somnifère ?

— Cela m'étonnerait ! Je l'ai fait acheter pour la circonstance et Steve s'est lui-même chargé de le déboucher...

— Je plaisantais, dit M. Wens.

Il se leva :

— Vous avez la clef de la porte qui commande à l'entrée particulière ? Je voudrais me rafraîchir les idées en me passant la tête à l'eau froide...

Quand il revint dans le bureau, lissant de la main ses cheveux mouillés, Aboody considérait pensivement « le dernier avertissement » du Dragon vert.

— Savez-vous à quoi je pense ? dit-il. Je me dis que nous aurions peut-être mieux fait d'inviter les suspects à passer la soirée avec nous... Nous les aurions eus, si j'ose dire, sous la main !

M. Wens saisit l'occasion au cheveu :

— Parce qu'il y a tout de même des gens que vous tenez pour suspects ?

— Quelques-uns. S'ils étaient là, nous pourrions faire un bridge à cinq.

« Quoi faire ? » se dit Steve, l'index électrisé tant il l'avait laissé longtemps sur la sonnette. Les domestiques devaient être sortis et il aurait jeté des grenades dans les fenêtres que Ti-Minn ne se fût pas réveillée.

Interroger les voisins ? Absurde ! Mais des taxis stationnaient généralement Chulia Street et Floriane n'avait pas dû sortir à pied. Peut-être que là...

C'est alors qu'il remarqua la voiture. Elle ronronnait de l'autre côté de la rue, ses phares en veilleuse, et il était fort possible, si elle attendait depuis un moment, que son conducteur eût remarqué Floriane et pût lui fournir une indication.

Il se dirigea vers elle, mais, au même moment, la voiture amorça une marche arrière, obliqua dans la rue transversale...

Steve se remit en route, dans la direction opposée, courant plus qu'il ne marchait. Son cœur battait à se rompre, la sueur lui mouillait le creux des mains. Il entrevit au loin la lumière rouge des taxis en station, s'engagea sur la chaussée...

Son instinct le prévint avant son ouïe. Il tourna la tête. La voiture dont il avait voulu interroger le conducteur fonçait sur lui à soixante à l'heure.

Un cri s'étouffa dans sa gorge. Il fit un saut désespéré en avant comme ces lapins surpris la nuit sur les routes forestières...

Ils étaient bien dix derrière la porte maintenant, poussant tout ce qu'ils savaient. La porte ne cédait pas, mais s'incurvait comme si elle était de caoutchouc. M. Wens saisit son browning, tira sans même viser, et cela fit : « Ping ! »

Il rouvrit les yeux. Aboody venait de décrocher le récepteur du téléphone et composait un numéro avec la pointe de son crayon.

— Je téléphone chez moi, expliqua-t-il.

M. Wens se passa la main sur le front. En dépit de l'eau froide dont il s'était bassiné les tempes, il avait peine à résister au sommeil. Il est vrai que ses faux-monnayeurs lui avaient mené la vie dure plusieurs nuits de suite...

— Un sandwich ? proposa Aboody, poussant une assiette vers lui.

— Merci.

— Whisky ?

— Non, je n'ai déjà que trop bu.

Aboody garda un long moment l'écouteur à l'oreille, puis raccrocha :

— On ne répond pas.

Il se versa un demi-verre d'alcool.

— Ma femme devait passer la soirée chez des amis, expliqua-t-il après avoir bu. Elle... Elle rentre généralement tard.

— Des amis à vous ? questionna M. Wens.

— C'est cela ! dit vivement Aboody. Des... Des amis à moi.

La pluie tombait en cataractes maintenant.

M. Wens aussi se versa du whisky.

— Plus dix, dit Zetskaya.

— Tenu. Plus quinze, dit M. Durand.

— Tenu. Plus dix, dit Zetskaya.

— Je sèche, dit M. Durand.

— *Full* par les femmes, dit Zetskaya, étalant complaisamment son jeu.

— *Donnerwetter !* dit M. Durand.

Malaise avait commencé par faire les cent pas en pensant à autre chose. Puis il avait compté les pavés, les nuages (il y avait sensiblement moins de nuages que de pavés) et les lumières qui clignotaient dans le lointain, du côté de Soochow Creek (du moins Malaise supposait-il que c'était Soochow Creek car il était peu familiarisé avec la topographie de Shanghaï). Il s'intéressa aussi au mendiant adossé à la façade du 114 et dont rien ne venait rompre la triste immobilité.

Quand l'homme s'éloigna — « A 11 heures le mendiant s'éloignera et la mort s'approchera » — il eut envie — bien qu'ignorant le dernier avertissement du Dragon vert — de le retenir et de l'obliger de veiller avec lui. Mais la pluie s'était mise à tomber moins d'une heure après qu'il eut pris sa faction, son pardessus luisait déjà comme une peau de phoque et il ne se sentit pas le courage de quitter l'abri de l'auvent où il s'était réfugié. La vaine expérience de la veille lui ôtait d'ailleurs toute illusion : on ne tirerait rien de plus de ce mendiant-ci que du premier...

A 11 h 50 — ou, peut-être, 51 —, Malaise éprouva la subite envie de se moucher. C'est là un besoin qu'on n'a pas coutume de refréner, même s'il vous prend pendant la nuit du 12 au 13, et Malaise y satisfit incontinent et avec transport. Il fourra sa pipe dans sa poche, déboutonna son pardessus, déboutonna son veston, prit dans la poche de son pantalon un mouchoir que l'expérience lui avait fait choisir d'une superficie excédant la normale, se détourna pudiquement, s'y prit à trois fois pour se dégager les narines de façon formelle, remit son mouchoir dans la poche de son pantalon, reboutonna son veston, reboutonna son pardessus, récupéra sa pipe, y tassa du pouce le tabac non consumé, constata qu'il en restait peu, rouvrit son pardessus, rouvrit son veston, tira sa blague à tabac de la poche de son pantalon (l'autre), rebourra congrûment le fourneau de sa pipe, chercha ses allumettes, finit par les trouver, en frotta une qui ne prit pas, puis une seconde dont, au contact du tabac, jaillit une flamme claire, reboutonna son veston, reboutonna son pardessus, et rejeta enfin par les narines une bouffée que la pluie rabattit incontinent...

L'homme, qui guettait une distraction du commissaire, ne laissa pas passer l'occasion. Il courut à la porte d'entrée en rasant les murs, y introduisit une clef toute prête, s'engouffra à l'intérieur. Quand Malaise repassa devant le 114, raide comme la justice, l'homme atteignait déjà le bureau réservé aux employés.

M. Wens se rendit compte qu'il dodelinait de la tête, et cela l'irrita. Il chercha Aboody des yeux, le découvrit derrière son bureau, comme il était normal, et constata qu'il avait la tête tournée vers la porte vitrée qui les séparait de la salle réservée aux employés.

M. Wens voulut parler, mais Aboody, d'un signe, le fit taire :

— Ecoutez !... On a remué de l'autre côté...

Les deux hommes tendirent l'oreille, puis se regardèrent, les yeux dans les yeux.

— Ma lampe, dit M. Wens, tendant à Aboody sa torche électrique. Vous l'allumerez quand j'éteindrai.

Il s'était approché de la porte vitrée, avait tourné sans bruit la clef dans la serrure. Son automatique dans la main droite, il fit l'obscurité, tira le battant à lui. On entendit une fuite précipitée, puis un grand éclat de rire.

M. Wens se retourna. Aboody, plié en deux, avait les larmes aux yeux.

— Con... Confucius ! haleta-t-il. Nous avons oublié d'évacuer Confucius !

M. Wens, sans répondre, récupéra sa torche et en braqua le foyer devant lui. Touché par la lumière, Confucius, debout sur un pupitre, replongea dans l'ombre et détala vers des lointains plus propices.

— Curieux ! dit M. Wens. Je me demande par où il a bien pu entrer...

— Vous n'allez tout de même pas soupçonner Confucius ? protesta Aboody. Je le connais depuis l'enfance !

Miss Dorothy Winkle posa son tricot dans son giron, releva ses lunettes sur son front et considéra la pendule d'un air incrédule.

— C'est à n'y rien comprendre ! s'indigna-t-elle pour la énième fois. Une jeune fille si comme il faut !

Miss Daphne Winkle, assise de l'autre côté de la cheminée, opina du bonnet (et ce n'est pas là une simple image car elle portait réellement un petit bonnet de dentelle noire piqué dans ses cheveux teints par deux épingles à tête de strass).

— Il lui est peut-être arrivé un accident ? suggérat-elle d'un ton plein d'espoir car sa propre vie, passée tout entière à l'ombre de sa sœur, avait été singulièrement dépourvue d'émotions.

Miss Dorothy se remit à tricoter à toute vapeur :

— Peut-être... mais, alors, pas un de ces accidents auxquels vous pensez ! Miss Lindstrom n'est pas de ces écervelées qui traversent les rues les yeux fermés ! Elle ne m'a d'ailleurs pas caché qu'elle était invitée à dîner... par un jeune homme.

— Et vous croyez que ?...

— Je ne sais que croire ! En tout cas, si elle n'est pas rentrée avant que j'aie fini cette encolure, je...

— Oui ? dit vivement miss Daphne.

— Je... Je ne lui mâcherai pas mon sentiment ! acheva miss Dorothy, se souvenant à temps que, sur les six chambres qu'elles donnaient à louer, quatre demeuraient inoccupées. Cette maison n'est pas un hôtel, mais une pension de famille, je désire qu'on s'en souvienne !

— Ecoutez ! J'entends une voiture...

— Oui, mais elle ne s'arrête pas ! Je vais mettre la chaîne de sûreté, décida miss Dorothy, et je *la* laisserai sonner plusieurs fois avant d'ouvrir. Cela lui servira de leçon.

— Son jeune homme l'a peut-être enlevée ?

— Pensez-vous ! Les hommes n'enlèvent plus les femmes, de nos jours ! Ce serait plutôt le contraire.

— Vraiment ?... dit miss Daphne, songeuse.

Des deux, c'est Aboody qui rouvrit les yeux le premier. M. Wens, lui, la tête inclinée sur la poitrine et la respiration bruyante, ne fit pas un mouvement.

La sonnerie du téléphone continuait de se faire entendre, insistante.

Aboody tendit la main vers l'appareil.

Il était minuit 5.

A minuit 7, plusieurs coups de feu, nettement perceptibles malgré la distance et l'épaisseur des murs, clouèrent Malaise sur place comme un chien d'arrêt. La pluie ayant cessé, il s'était un peu éloigné du 114. Il y courut, en ouvrit la porte à l'aide de la clef que lui avait remise M. Wens et s'engouffra dans le couloir d'entrée en braquant devant lui le pinceau blanc de sa torche électrique. Mais il n'alla pas loin. Une silhouette humaine, surgissant de l'obscurité si soudainement que la lumière glissa sur elle sans la trahir, le plaqua contre le mur, se profila une seconde dans la porte ouverte et disparut au-dehors.

— Arrêtez ! hurla Malaise. Arrêtez... ou je tire !

L'autre, qui avait déjà pris une bonne avance, ne se retourna même pas. Il fuyait à larges enjambées, rasant les murs. Malaise lâcha deux coups au jugé, sur sa mouvante silhouette, puis lança un de ces stridents coups de sifflet qui alertent toutes les polices du monde. Le vent chassait vers lui une odeur de poudre. Il se laissa guider par elle... et sut où la mort avait frappé.

IX

L'homme avait le teint plombé, le menton râpeux et l'œil gauche à demi fermé par une ecchymose qui virait au noir. Son costume était fripé et déchiré par endroits. Il descendit l'escalier en vacillant, une main à son front, l'autre serrant fortement la rampe, et s'approcha du bureau de réception — en l'espèce une mauvaise table bancale — où trônait un énorme Chinois en manches de chemise et bretelles.

— Hé, vous, le bouddha ! dit l'homme. Qui est-ce qui nous a collés ici ?

Le Chinois releva des paupières lourdes tout en continuant de sucer le manche de son porte-plume :

— Collés ?

— Je veux dire : qui est-ce qui nous a foutus dans ce nom de D... de claque ?

— Claque ? répéta placidement le Chinois.

L'homme posa la main gauche sur la table — plus exactement sur le registre où la dernière ligne tracée par le Jaune n'avait pas fini de sécher — et leva lentement la droite sous l'aspect d'un poing menaçant :

— J'ai grande envie de te dérouiller de toute façon !

Le Chinois haussa les épaules, comme découragé :

— Com'ends pas : « dé'ouiller » !

Le Blanc hésita un moment, le poing toujours levé, à la manière d'un chasseur d'éléphants cherchant le point vulnérable d'un solitaire. Puis il se détourna résolument et marcha vers la porte.

— Je te ramène un interprète ! jeta-t-il par-dessus l'épaule.

Le Chinois replongea sa plume dans l'encrier.

— Pas bon deho's, dit-il simplement. Beaucoup pluie. Et beaucoup vent. Meilleu' pou' vous 'ester ici.

Il avait dû presser du pied une sonnette dissimulée sous le tapis car un second Chinois, aussi petit et frêle que lui-même était grand et gros, surgit comme par miracle entre le Blanc et la porte.

— Vous p'ésente Tao, dit le bouddha. Tao p'ofesseu' judo. Vous entend'e pa'ler judo ?...

Tao saluait, tout sourire, donnant l'impression, ainsi courbé, qu'il suffirait d'un coup bien appliqué sur la nuque pour l'envoyer jouer au fang-tang avec ses ancêtres. Mais l'homme avait appris à se méfier de ses premières impressions et de l'apparente fragilité des fils-de-Han.

Blême de rage, il se détourna du moucheron pour revenir au pachyderme :

— Vous n'espérez tout de même pas pouvoir nous garder ici contre notre gré ? Notre disparition doit avoir été signalée. Je ne vous donne pas quarante-huit heures pour que vous ayez la police sur le dos !

— Police t'ès occupée, dit le bouddha. Et Shanghaï t'ès g'and.

— Combien vous a-t-on payé pour nous retenir ici ? Je vous en offre le double.

Le bouddha secoua la tête :

— Vous plus d'a'gent. Moi avoi' tout p'is.

— Sacré nom de !...

Le Blanc se fouilla rapidement :

— Ecoutez !... Je peux vous faire un chèque. La dame, plutôt, peut vous en faire un.

— Moi pas aimer chèques.

— Vous le toucherez avant que nous soyons sortis d'ici.

Le bouddha secoua la tête :

— Beaucoup 'eg'ets. Vous êt's t'ès fatigués. Besoin beaucoup 'epos. Vous pa'ti ap'ès.

L'homme au complet fripé calcula une dernière fois ses chances de se défaire de ses deux geôliers. Peut-être qu'en retournant la table sur le bouddha et qu'en lançant l'encrier à la tête de Tao... Mais, outre qu'il ne pouvait songer à s'enfuir seul, rien ne prouvait que d'autres professeurs de judo n'accourraient pas aussitôt à la rescousse.

— Très bien ! dit-il. Nous allons récupérer, la dame et moi. Mais, si vous ne voulez pas que je vous mette en pièces détachées le jour où vous nous laisserez sortir, vous allez courir chez le pharmacien le plus proche et vous m'en rapporterez une boîte d'ampoules de « Maxiton »... Je veux aussi une seringue hypodermique, et de l'alcool...

Le bouddha et Tao se consultèrent du regard :

— Pou' qui « Maxiton » ?

— Pour la dame... S'il devait jamais lui arriver quelque chose, je ne sais pas ce que... Je vous descends, vous m'entendez ? Tous les deux !

Le gros Chinois soupira :

— Dame pas besoin « Maxiton ». Seulement besoin beaucoup sommeil... Nous avoi' l'habitude, ajouta-t-il d'un ton qu'il voulait rassurant.

Il était inutile d'insister. L'homme au complet fripé se dirigea vers l'escalier.

— Et du whisky ? demanda-t-il soudain. Ça non plus, vous ne voulez pas m'en donner ?... Je vous laisserai ma montre en gage.

De nouveau le bouddha et Tao se regardèrent.

— Vous avoi' whisky ce soi' avec dîner, décida le premier. Et vous ga'der mont'e. Mont'e en métal a'genté, acheva-t-il d'un ton compétent et désenchanté.

L'homme au complet fripé continua de monter l'escalier où la chaleur se faisait plus dense à chaque marche et atteignit le premier étage. Comme il se dirigeait vers le fond du couloir, il aperçut un journal plié, à demi glissé sous une porte, et fut frappé par la grosseur anormale d'un titre de première page. Il s'en saisit, le déplia.

DOUBLE MEURTRE NANKING ROAD,
imprimait le quotidien.

Mr H. Aboody et M. Vorobeïtchik, le détective chargé d'assurer sa sécurité, abattus à coups de revolver par un mystérieux assassin.

Suivait le récit circonstancié du drame, illustré de mauvaises photos qui prétendaient montrer les lieux où il avait éclaté et relevé de sous-titres qui disaient : *Le* Dragon vert *exigeait cent mille dollars. — Le meurtrier a tiré six fois. — Sauvera-t-on M. Vorobeïtchik ?...*
L'homme au complet fripé était si absorbé par sa lecture qu'il n'entendit pas s'ouvrir la porte à laquelle il tournait le dos.

— Et les chaussures ? fit une voix. Vous les laissez ?...

L'homme se retourna et se trouva nez à nez avec une jeune femme en peignoir rose, à demi démaquillée, qui le regardait de bas en haut.

— Je n'en aurais pas l'usage, dit-il. Je n'ai jamais pu me faire aux talons hauts. Sonia ? questionna-t-il, s'accoudant au mur. Hélène ?... Marina ?... Vera ?... Excusez-moi de vous avoir tirée du lit.

— Vous ne m'en avez pas tirée. J'allais m'y mettre.

La jeune femme tendait vers son journal une main impatiente. L'homme s'en saisit et la porta à ses lèvres :

— *Daragoï, oumalajou, vazmi menia ksébié* ! (1)

La jeune femme se dégagea avec brusquerie et lui jeta un regard dur :

— Je porte donc *ça* sur la figure ?

L'homme parut confus :

— Quoi, ça ?... C'est tout ce que je sais de russe et je comptais sur vous pour m'expliquer ce que ça veut dire... A propos, vous n'auriez pas un doigt de whisky ?

— Si vous avez de quoi le payer, oui !

— En ce cas, n'en parlons plus ! Et reprenez votre canard... La location même en est au-dessus de mes moyens ! Cigarette ?... C'est tout ce qui me reste.

La jeune femme refermait déjà la porte. Elle hésita soudain, la rouvrit :

— Entrez. Et asseyez-vous là.

— Où ? dit l'homme. Sur le carton à chapeau ou sur le couvre-théière ?

La jeune femme ne répondit pas. Après avoir allumé elle-même les deux cigarettes, elle s'était jetée sur son lit, entre un corset débaleiné et un fer à repasser et s'était plongée dans la lecture du journal qu'elle venait de récupérer.

— Vous êtes un copain de Lee ? questionna-t-elle quand elle eut fini.

— Lee ?... répéta l'homme. Vous voulez peut-être parler du mammouth qui trône en bas ?... Non, je n'oserais pas dire qu'il est mon copain, et, lui, il l'oserait encore moins !

— Il vous a pourtant offert asile ?

(1) « Chéri, je t'en prie, emmène-moi chez toi... »

— Si on veut.

— Pourquoi avez-vous fait ça ?

— Quoi, ça ?... Oh ! descendu les deux types ?... Je ne sais pas, distraitement...

La jeune femme se leva, le journal à la main :

— Tenez, reprenez-le ! Et laissez-moi dormir.

— Chanteuse ? questionna l'homme.

— Entraîneuse. A *l'Olympic*.

— J'aurais parié pour *l'Alhambra*. Et je suis sûr que vous chantez...

— Comment l'avez-vous deviné ?

— Une intuition.

— Attendez, dit la jeune femme.

Elle ouvrit une penderie et en tira une bouteille à moitié pleine :

— Prenez. Vous la boirez à ma santé. A la santé de Lydia.

— Merci ! Vous « entraînez » jusqu'à quelle heure ?

— Jusqu'au matin.

— Et vous commencez quand ?

— Ça dépend. 9, 10 heures.

— Venez me dire bonsoir avant de partir. La porte au fond du couloir. Nous trinquerons ensemble. Et puis je voudrais vous demander un service...

La jeune femme se raidit :

— Je n'en rends jamais ! Lequel ?

— Moins que rien. M'acheter un « feu ».

La jeune femme avait laissé tomber son peignoir. Elle était en pyjama noir.

— Vous n'êtes pas fou ? Pour quoi faire ?

— Des mots croisés, dit l'homme. Et, peut-être, descendre Lee.

La jeune femme le prit aux épaules et le poussa dehors :

74

— Rien à faire ! Vous me prenez pour votre mère ?...

La jeune femme étendue sur le lit poussa une espèce de petit soupir vite ravalé et se raidit tout en portant une main à ses yeux.

— Non, non ! gémit-elle.

Sa robe bleu nuit n'était pas moins fripée que le complet de l'homme penché sur elle et une large déchirure dénudait une de ses épaules, une blanche et frêle épaule de jeune fille.

L'homme la considéra un long moment, tout en lui caressant légèrement les cheveux, puis il s'assit au pied du lit et se mit à lire le journal qu'il tenait à la main.

Soudain il sentit un regard posé sur lui. La jeune femme avait ouvert les yeux et examinait la chambre avec un intérêt enfantin.

— Steve..., murmura-t-elle, tendant la main.

Steve la prit et la serra.

— Où... Où sommes-nous ?

— Dans une foutue boîte ! dit Steve. Un hôtel borgne de Chapei, de Hong-Kew, ou d'ailleurs, je ne sais pas trop !

— Qui nous y a amenés ?

— Je l'ignore, mais il n'est pas difficile de l'imaginer !

— Prisonniers ?

— Ça m'en a tout l'air !

— Quel jour sommes-nous ?

— Jeudi : le lendemain de la veille.

— Quelle heure est-il ?

— Près de midi.

La jeune femme se redressa et cela fit bâiller son corsage. Elle le rajusta maladroitement :

— Mais alors... On va nous rechercher... La police...

Steve ricana :

— Vous pouvez le dire ! Mais pas pour nous porter en triomphe...

Il jeta le journal sur le lit :

— Votre mari est mort. Il a été descendu la nuit dernière, en même temps que le détective chargé de veiller sur lui. Tous deux ont pris trois balles de revolver dans le corps. Votre mari a été tué sur le coup. Quant à Vorobeïtchik, le détective, on ne garde qu'un faible espoir de le sauver...

Floriane était devenue livide. Elle prit le journal, n'y jeta qu'un coup d'œil :

— Je ne savais pas... Je ne savais pas...

— Qu'est-ce que vous ne saviez pas ?

Floriane semblait regarder au-delà des murs de la chambre.

— Qu'est-ce que vous ne saviez pas ? répéta impatiemment Steve.

— Que... Qu'une telle chose pût arriver... Et que... que rien ne nous a jamais vraiment séparés...

— Vous n'allez tout de même pas vous mettre à avoir des remords ?

— Si.

— Vous n'auriez rien pu empêcher...

— Si, répéta Floriane d'une voix blanche, une voix de rêve. Je... J'ai été tellement odieuse !

— Dites tout de suite que tout est de votre faute !

— Tout est de ma faute.

— Touchant ! Dites aussi que c'est vous qui l'avez tué !

— Je l'ai tué. Rien ne serait arrivé si...

Floriane parut échapper à une sorte d'envoûte-ment, de sortilège. Son regard tomba sur la bouteille de whisky rapportée par Steve :

— Don... Donnez-moi un peu de whisky.

— Ce n'est peut-être pas très indiqué dans votre état ?

— Si, je... Donnez vite !...

Steve se leva et obéit avec d'autant plus d'empres-sement qu'il s'était d'abord fait tirer l'oreille.

— Merci. Ce... Cela va... mieux, dit Floriane, après avoir bu. Que dit exactement le journal ?

— Vorobeïtchik avait prié un de ses collègues, le commissaire Malaise, de monter la garde Nanking Road. Un peu après minuit, plusieurs coups de feu — sept, on l'a su depuis — alertèrent le digne homme. Il courut au 114 et en ouvrit la porte avec une clef que lui avait confiée M. Wens. Mais il n'avait pas fait trois pas dans le couloir d'entrée qu'un type — entré Dieu sait comment — le bouscula et prit la fuite. Malaise, renonçant à le poursuivre, courut au bureau de votre mari. A ce qu'il paraît, c'est l'odeur de poudre qui le guida...

— Et c'est alors que ?...

— Oui. Votre mari était tombé entre le bureau et son fauteuil, entraînant dans sa chute l'appareil télé-phonique. Quant à M. Wens, il gisait de tout son long sur le parquet...

— Ils n'ont donc pas essayé de se défendre ?

— Si. L'automatique de M. Wens ne contenait plus que cinq balles. M. Wens a donc tiré une fois, mais une fois seulement...

— Et la porte ?

— Fermée à clef, de l'intérieur. Mais elle est en verre dépoli et deux carreaux en ont été brisés...

— Le meurtrier aurait donc tiré à travers la porte ?

— Dame ! Puisqu'elle était fermée à clef, de l'intérieur... Pour moi, M. Wens aura fait feu le premier et le meurtrier aura riposté en tirant à travers le carreau brisé... Ou bien le meurtrier aura fracassé un premier carreau pour se ménager un carton et aura visé ensuite...

— Mais cet homme qui s'est enfui ?... On doit posséder son signalement ?

— Non, il a eu l'habileté de rester dans l'ombre. Le journal annonce une arrestation imminente, mais je n'y crois pas...

Floriane leva un regard implorant. Elle cherchait toujours à refermer son corsage :

— Vous n'auriez pas une épingle de nourrice ?... Enfin, une épingle ?

— Non, dit Steve. D'ailleurs, si j'en avais une, je la garderais pour moi. Vous êtes à croquer comme ça !

— Ils doivent nous soupçonner... murmura Floriane.

— Et que feriez-vous si vous étiez flic ? dit Steve.

X

Malaise était littéralement hypnotisé par deux choses : les verres et les bouteilles disposés sur le bureau et l'appareil téléphonique qu'Aboody avait entraîné dans sa chute. Il aurait juré que d'elles seules dépendait la solution du problème...

Un claquement de bottes, dans son dos, l'arracha à sa contemplation.

— Que dit cet homme ? questionna-t-il.

— Sing dit que miss Lindstrom n'est pas rentrée de la nuit.

— Et l'autre ?

— Chang dit que M. Matriche semble avoir abandonné son appartement car ses affaires n'y sont plus et il doit un terme à son propriétaire.

— De mieux en mieux ! grommela Malaise. Pour peu que Steve Alcan et Mrs Aboody aient levé le pied, eux aussi, il ne nous restera plus qu'à demander un suspect par voie d'annonces.

— Rectification, commissaire ! dit courtoisement Mr Wu. Si les personnes qui devraient se trouver ici sont ailleurs, une autre, qui devait se trouver ailleurs, est ici.

— Ah ! Qui ça ?

— Mr J.-J. Lawrence. Mr Lawrence ne devait rentrer de Canton que demain... et il en est rentré hier.

— Je suppose que vous allez le cuisiner ?

— Cuisiner ?

— Le pressurer, le malaxer !

— Assurément ! Demain.

— Pourquoi demain ? Vous voulez lui donner une chance de vous brûler la politesse ?

— Non, dit Mr Wu, je désire lui laisser le temps de préparer ses réponses. Un mensonge habile perd plus sûrement son auteur qu'un mensonge maladroit.

Petit et frêle, la face plate et comme ravalée, le nez chaussé de lunettes sans monture aux verres de couleur si épais qu'ils lui grossissaient démesurément les yeux en en dénaturant l'expression, Mr Wu (Wu-Tu-Fu, pour être complet) faisait songer à un poisson (chinois, évidemment) ou, mieux, à une mouche. Sacrifiant aux canons d'une élégance qui ne le rajeunissait pas, il portait un costume d'alpaga blanc aux plis raides comme des baguettes, une cravate de piqué blanc ornée d'une épingle d'or à tête de dragon et des souliers jaune canard. Il parlait couramment trois langues — le chinois, l'anglais et le français — sans bannir les r des deux dernières comme la plupart de ses congénères et s'exprimait dans chacune avec une politesse raffinée qui ne datait pas moins que sa garde-robe. Il fut tout de suite évident qu'il entendait mener l'enquête en honorable magistrat recherchant l'honorable auteur d'un honorable crime.

Les employés les plus matinaux commençaient à peine à se grouper devant la porte fermée des bureaux, sous l'œil glacé de deux factionnaires en uniforme, que Mr Wu était déjà à pied d'œuvre depuis longtemps, entouré de collaborateurs blancs et jaunes, les uns civils, les autres militaires, à qui Malaise eût été bien empêché d'assigner une fonction ou un grade. C'était la première fois qu'il assistait à une enquête menée par des Fils-du-Ciel et leur célérité lui parut surprenante, de même que la brièveté de leurs propos. Comme il le dit plaisamment plus tard, on se serait cru moins parmi des policiers que parmi d'actifs représentants en *vacuum-cleaner*.

Mr Wu n'en négligeait pas pour autant le commissaire. Tout au contraire, il se tournait fréquemment vers lui en donnant un ordre comme pour le faire juge de ses décisions (et comme si celles-ci n'eussent pas été pour lui du chinois). Malaise, flatté et confus, n'avait d'autre ressource que de se balancer d'un pied sur l'autre, mais Mr Wu paraissait content.

Il l'avait paru bien davantage encore quand, en cours d'après-midi, après avoir assigné une tâche urgente à la plupart de ses assistants, il les avait expédiés vers des objectifs mystérieux. Tirant un étui d'or de sa poche, il l'avait alors tendu à Malaise —

qui avait refusé en montrant sa pipe — y avait pris lui-même une longue et mince cigarette d'un format inusité, l'avait allumée avec soin, et le bureau s'était empli d'une odeur non moins inusitée, une odeur d'opium...

— Je brûle, dit Mr Wu, d'avoir des nouvelles de M. Vorobeïtchik. J'ai cru comprendre que vous éprouviez pour lui une affection fraternelle et rien n'est plus douloureux que la perte d'un être cher.

Malaise s'assombrit :

— On craint qu'il ne passe. Pas question, en tout cas, d'extraire les balles avant d'avoir procédé à une transfusion de sang. Je me suis proposé, mais nous n'appartenons pas au même groupe. Il est costaud, bien sûr, mais...

Mr Wu attendit poliment que Malaise finît sa phrase. Mais, pour Malaise, elle était terminée.

— Je forme des vœux pour que les dieux lui permettent de survivre, dit Mr Wu. *Si le riche peut mesurer sa richesse, l'homme fort ne peut mesurer sa force*, a dit Lao-Tseu, acheva-t-il en manière de consolation.

Malaise se taisait.

— Le sort de ceux qui restent est parfois plus cruel que celui de ceux qui partent, dit encore sentencieusement Mr Wu.

— Vous pouvez le dire ! grommela Malaise. Quand je pense que tout est de ma faute et que, si je ne m'étais pas enrhumé, ce salaud n'aurait jamais pu entrer dans les bureaux et faire son coup !

— Excusez-moi, commissaire, mais rien ne prouve que l'homme qui a réussi à tromper votre surveillance soit l'assassin ! La seule chose qui ne fait actuellement aucun doute, c'est qu'il a essayé de forcer la caisse.

— Et comment quelqu'un d'autre aurait-il réussi à entrer ?

— Peut-être en suivant le chemin frayé par l'apprenti voleur...

— Impossible ! Je ne me suis mouché qu'une fois !

— Je m'en voudrais d'influencer votre jugement, fût-ce involontairement... Peut-être voudrez-vous bien me faire connaître vos conclusions avant que je ne vous livre les miennes ?

— Si vous voulez ! Pour moi, l'assassin est le type qui est entré tandis que je tournais le dos au 114. Il devait détenir une clef dont Aboody ignorait l'existence, ou en avoir fait fabriquer une pour son propre compte en prenant une empreinte de la serrure. M. Wens l'aura entendu venir — ou peut-être l'aurat-il aperçu à travers la porte vitrée — et il aura tiré le premier, envoyant sa balle se loger là où vos hommes l'ont retrouvée, dans un pupitre du bureau réservé aux employés. Possible, d'ailleurs, qu'il ait moins cherché à atteindre son homme qu'à l'effrayer. L'autre aura riposté en visant à travers le carreau brisé à hauteur d'homme et jusqu'à ce que sa seringue soit vide. Trois balles pour M. Wens et trois pour Aboody : on ne saurait se montrer plus éclectique !

— Et vous pensez que cet homme est un émissaire du Dragon vert ?

— Dame ! A moins qu'il ne soit lui-même le Dragon vert !

On frappa à la porte et celle-ci s'ouvrit devant un Chinois en uniforme qui salua en claquant des talons.

— Que dit cet homme ? questionna Malaise après avoir impatiemment écouté un échange de répliques aussi bref qu'une rafale de mitraillette.

— Charlie dit que M. Alcan demeure introuvable et qu'il n'a pas encore été possible jusqu'ici de reconstituer son emploi du temps pendant la soirée d'hier.

Comme le Chinois sortait, un autre prit sa place et lâcha une nouvelle rafale.

— Et celui-là ? demanda Malaise.

— Chan dit que Mrs Aboody a quitté son domicile sans témoins, probablement dans la nuit, et n'y a pas reparu depuis...

— Eh bien, bravo ! grommela Malaise. Je ne croyais pas être si bon devin ! ajouta-t-il amèrement. Qu'allez-vous faire ?

— Mes hommes ont reçu mission de fouiller les hôtels, les cabarets, les fumeries et tous autres endroits où les fugitifs ont coutume de chercher refuge. Ils veilleront aussi à ce que ceux-ci ne puissent s'embarquer clandestinement...

— Et vous espérez les retrouver bientôt ?

— Avec l'aide des dieux, d'ici deux ou trois jours.

— Et sans l'aide des dieux ?...

— Je ne sais pas... L'homme ne peut rien sans l'aide des dieux... Disons trois ou quatre.

Malaise désigna les verres et la bouteille disposés sur le sous-main :

— Aboody et M. Wens ont bu pendant la nuit, mais tout de même pas au point d'éprouver des envies somnifères ! Ils devaient, tout au contraire, en avoir pris juste assez pour entendre boiter un mille-pattes !

— Je saisis votre pensée, dit promptement Mr Wu. Des spécialistes vont venir prendre tout cela d'un instant à l'autre et ils en analyseront le contenu.

Des verres et de la bouteille le regard de Malaise sauta à l'appareil téléphonique :

— Ce que j'aimerais savoir, c'est si cet appareil a servi. Dans l'affirmative, je trouve pour le moins étrange que le correspondant d'Aboody n'ait pas donné l'alarme et ne se soit pas déjà fait connaître... Vous pas ?

— Peut-être a-t-il une bonne raison de garder l'anonymat ? suggéra Mr Wu. Peut-être était-ce le Dragon vert et a-t-il usé de ce moyen pour exercer un ultime chantage ? Peut-être la communication était-elle terminée et Aboody a-t-il été frappé quand il se disposait à raccrocher ? Peut-être aussi a-t-il été sonné par erreur ? La comédie se mêle parfois inopinément au drame.

— Je suppose qu'il serait vain de rechercher le numéro demandé, ou celui qui a appelé ?

— Hélas oui ! Shanghaï jouit des avantages du téléphone automatique. Par conséquent, à moins que la centrale n'ait été dûment priée de surveiller la ligne, et n'ait, à cet effet, installé un dispositif de blocage spécial, il est impossible de retrouver l'origine d'une communication.

Malaise soupira :

— Ah ! si M. Wens pouvait parler !

Au même instant le téléphone se mit à sonner. Mr Wu décrocha l'écouteur, ses sourcils se froncèrent légèrement et il le tendit à Malaise :

— Pour vous, commissaire. De la part de M. Wens...

XI

L'infirmière luttait sans mot dire, les dents serrées, pour ménager ses forces, mais l'homme, malgré son extrême faiblesse, puisait dans son excitation fébrile une vigueur inattendue et elle vit venir le moment où il allait lui échapper.

Dégageant son bras gauche, elle atteignit la sonnette installée à la tête du lit, et la pressa trois fois, deux coups brefs et un long, prévenant ainsi les infirmières de garde qu'elles avaient affaire à l'une de leurs collègues, et non à un malade.

Le blessé mit ce répit à profit. L'infirmière sentit son voile se déchirer, une bretelle claquer sous sa blouse, et elle était à demi renversée sur le lit quand une autre infirmière, une Jaune, ouvrit la porte.

— Vite, Kuo ! haleta la première. Préviens Simpson... Qu'il vienne lui faire une piqûre...

Kuo, d'un coup d'œil, avait jugé la situation :

— Pas le temps p'éveni' Simpson... Moi envoyer factionnai'e, puis t'aider...

Elle fit volte-face, saisit par le bras un Chinois en uniforme qui veillait dans le couloir, un fusil entre les jambes, et l'inonda d'une averse de paroles.

Le factionnaire secoua la tête et répondit à cette averse par un torrent qui pouvait se traduire ainsi : « Moi cha'gé veiller su' blessé. Moi veiller. »

(Et, de fait, Malaise, redoutant un retour offensif du Dragon vert, avait exigé que M. Wens fût protégé de jour et de nuit...)

— T'ès bien ! dit Kuo. Moi p'éveni' Simpson alo's. Mais vous aider miss Smith...

— Vite, Kuo ! cria au même instant miss Smith. Ou Simpson me trouvera toute nue...

Remorqué par Kuo, le Dr Simpson fit diligence, mais il avait compté sans le factionnaire :

— Moi pas vous connaît'e. Papiers.

Simpson n'avait jamais rien entendu de pareil. Une telle atteinte à sa dignité !

— Mais je suis *Simpson* ! hurla-t-il.

— Vous pouvoi' p'étend'e n'impo'te quoi ! repartit le factionnaire. Papiers.

Il fallut en passer par ses exigences. Et, quand le Dr Simpson put entrer dans la chambre, la vérité nous oblige à dire que son premier regard ne fut pas pour le blessé, mais pour miss Smith.

Il emplit sa seringue de morphine, fit une injection, puis hocha la tête :

— Je me demande ce qu'attend « le vieux ». S'il ne se dépêche pas, l'homme est perdu.

Au même moment le blessé manifesta un renouveau d'agitation et des mots confus s'échappèrent de ses lèvres.

Kuo et miss Smith se regardèrent, interdites.

— Je crois qu'il a dit..., commença la seconde, toute rouge.

— Quoi ? dit Simpson.

— Encore ! avoua miss Smith.

XII

— Un instant ! dit Malaise, tirant de sa poche un carnet et un crayon. Voulez-vous répéter ?

Il consigna quelques chiffres au haut d'une page, dit : « Oui, oui, merci ! », puis raccrocha, l'air soucieux.

Mr Wu l'observait, les yeux mi-clos :

— Grâce aux dieux, M. Vorobeïtchik doit être désormais hors de danger ?... Permettez-moi de m'en réjouir.

Malaise poussa un grognement :

— Ce n'était pas M. Wens, c'était la centrale téléphonique... M. Wens, arguant de sa qualité de détective, l'a priée hier après-midi de noter l'origine des communications qui viendraient à être établies avec ce bureau, de 8 heures du soir à 10 heures du matin. La centrale m'informe qu'Herbert Aboody a été appelé par deux fois, vers 10 heures et vers minuit, la première fois par un restaurant italien de la concession française, le *Roma*, la seconde fois par une « maison de thé » de Chapei. C'est cette dernière communication qui a dû être interrompue.

— Admirable ! Proprement admirable ! commenta Mr Wu. *La mort elle-même n'arrête pas la vérité*... comme a dit Lao-Tseu, ajouta-t-il vivement.

Malaise s'était levé :

— Plus admirable encore que vous ne pensez ! Peut-être n'ignorez-vous pas que je suis chargé par le gouvernement chinois d'arrêter une bande de trafiquants d'opium dont on soupçonne que le chef est un Blanc, et ce Blanc, Herbert Aboody, Steve Alcanian, son secrétaire, J.-J. Lawrence, son associé, ou un certain Zetskaya, « peintre mondain » ?... Eh bien, la prétendue maison de thé, d'où l'on a téléphoné à Aboody vers minuit, peut être considérée comme le quartier général de la bande !

Mr Wu battit des paupières :

— Vous en êtes sûr ?

— Absolument. Pouvez-vous me confier une vingtaine d'hommes ? Je me suis interdit jusqu'ici d'opérer une descente, dans l'espoir de prendre la pie au nid, mais il me paraît impossible d'attendre plus longtemps.

Mr Wu battit des mains :

— Charlie ! Chan ! Sing ! Wong !

Suivit une phrase percutante que les quatre hommes accourus reçurent à bout portant avant de s'égailler comme une volée de moineaux.

— Un camion militaire vous attendra dans cinq minutes devant la porte, commissaire. Mes vœux vous accompagnent. Je me demande toutefois si...

— Si ?

— ... vous n'auriez pas avantage à attendre la tombée de la nuit ? Je ne me permettrais pas de vous donner un conseil, mais vous n'aurez pas plutôt pénétré dans le quartier indigène que celui-ci tout entier sera en état d'alerte.

— La nuit ne tardera plus, dit Malaise. Elle sera tombée quand nous atteindrons Chapei. De votre côté, envoyez donc un homme au *Roma*.

Il s'était dirigé vers la porte. Comme il allait l'atteindre, elle s'ouvrit brusquement et un géant à la barbe hirsute, au complet blanc fripé, lui passa sur les pieds, encadré par deux Chinois en uniforme.

— Hé là ! dit Malaise.

Il fit un pas en avant et regarda le géant sous le nez :

— Vous m'aurez bousculé une fois de trop, papillon ! Ne vous excusez pas... Dites-moi plutôt ce que vous faisiez ici cette nuit et pourquoi vous avez préféré me passer sur le ventre au lieu de bavarder gentiment ?

Le géant baissa des paupières lourdes et parut découvrir Malaise comme par hasard :

— Je crains de ne pas comprendre...

— Vraiment ? grommela Malaise. Où l'avez-vous coincé ?

Les deux Chinois se consultèrent du regard.

— North Station, répondit brièvement l'un d'eux.

— Des bagages ?

— Petite valise.

Mr Wu s'était approché :

— Dois-je comprendre, monsieur le commissaire,

que c'est cet homme qui vous a échappé cette nuit ?

Malaise inclina la tête :

— Qui est-ce ?

— Mr Matriche, le chef comptable.

— En ce cas je ne saurais trop vous conseiller d'éplucher ses livres.

— C'est fait, dit simplement Mr Wu. Gros déficit, ajouta-t-il, sacrifiant soudain à la même concision que ses subordonnés.

— O.K. ! dit Malaise. Je vous laisse... Ne me l'abîmez pas trop !

— Abîmer ? répéta Mr Wu, visiblement dépassé et qui s'était saisi d'une chaise. Asseyez-vous, Mr Matriche. Vu les circonstances, je pense que vous ne refuserez pas de converser un moment avec moi ?

— Je ne suis pas causant, dit Matriche.

Mr Wu parut ravi :

— Tant mieux ! J'en augure que nous parlerons peu et bien, comme l'on dit chez vous... Cigarette ?

« Seigneur ! » se dit Malaise qui s'était attardé dans le couloir pour écouter et qui ne reprit espoir qu'à la vue d'un camion au moteur sous pression, à la bâche hérissée de baïonnettes.

— Chapei ! hurla-t-il, s'installant à côté du chauffeur. Et brûlez les signaux !

— Ce'tainement ! dit le chauffeur. Vous p'essé ?...

XIII

Quelqu'un frappa à la porte et ce ne pouvait être Lee : Lee, qui aimait surprendre ses « pensionnaires », ne s'annonçait jamais, sinon fortuitement, en ébranlant la porte de son ventre, toujours en avance sur le reste de sa personne.

— Entrez ! cria Steve, sans bouger du lit sur lequel il était couché, les mains sous la nuque et les yeux au plafond.

La porte s'ouvrit devant Lydia en robe décolletée de lamé noir et or, portant sur le bras une cape de velours fatigué, d'un bleu criard.

— Bonsoir, je...

Son regard alla de Steve à Floriane, étendue sur le lit voisin, pour retourner à Steve :

— Excusez-moi. Je me suis trompée de chambre.

— Mais non, mais non, nous vous attendions ! protesta Steve, sautant sur ses pieds. Floriane, je vous présente Lydia... Lydia est cette charmante jeune femme, vous savez bien, qui châtie les voleurs de journaux en leur offrant du whisky en prime... Lydia, Floriane... A propos, nous avons vidé votre bouteille, mais Lee m'en a cédé une autre contre mes boutons de manchette... Je vous en verse un verre...

Lydia n'avait pas lâché le bouton de la porte :

— Inutile. On m'attend à 9 heures et je n'ai que juste le temps...

Floriane s'était levée à son tour.

— Je vous en prie, dit-elle. Les prisonniers adorent les visites, vous savez ! Et peut-être *vous*, allez-vous pouvoir me donner une épingle de nourrice ?...

Elle montrait son corsage déchiré.

Lydia découvrit au revers de sa cape l'épingle demandée.

— Vous êtes Mrs Aboody, n'est-ce pas ? questionna-t-elle.

Puis elle regarda Steve :

— Et c'est lui qui a tué votre mari ?

Steve sursauta comme s'il avait touché un câble à haute tension :

— Hé là, doucement ! Ce n'est pas parce que je vous ai fauché votre journal qu'il faut vous faire des idées !

— Steve n'est qu'un ami, protesta à son tour Floriane. Le meilleur des amis, ajouta-t-elle comme Steve lui lançait un regard de reproche.

— La vérité est que je l'aime à la folie ! dit Steve, ôtant sa cape à Lydia. Mais elle se soucie de moi comme un poisson d'une pomme... et on ne descend tout de même pas le mari d'une dame dont on ne dégrafera jamais la ceinture, comme disent les Ecritures. Je préfère chercher des consolatrices, ajouta-t-il, tendant un verre à Lydia. Spécialement les rousses.

Lydia prit le verre qu'on lui offrait et le leva à la hauteur de son visage :

— *Na Zdorovié !* En ce cas je ne saurais trop vous conseiller de vous méfier des Russes ! Ce n'est pas une affaire : elles exigent tout et ne donnent rien... Que faites-vous ici, tous les deux ? interrogea-t-elle, s'adressant plus particulièrement à Floriane.

— Nous nous le demandons nous-mêmes depuis ce matin, dit Floriane.

— On vous a kidnappés ?

Floriane hésita :

— Pas exactement. De toute façon, ce serait trop long à vous raconter...

— Bien sûr, à chacun ses secrets ! dit Lydia, dont le visage s'était à nouveau fermé. Merci pour le whisky, ajouta-t-elle, tendant la main vers sa cape dont Steve examinait pensivement les coutures défaites.

Steve, touché au bras, sursauta :

— Minute, bébé ! Avez-vous songé à ce que je vous ai demandé ?

— Qu'est-ce que vous m'avez demandé ?

Steve, du doigt, fit le simulacre de presser une détente.

— Ah oui !... Eh bien, c'est non.

— Non ?

— Oui.

— Pourquoi ? Sorti d'ici, je vous le paierai le prix d'un bombardier.

Lydia, butée, se taisait.

— Allez, parlez ! Vous ne m'aimez plus ?... Ou peut-être avez-vous peur que j'abîme le bouddha d'en bas ?

— Lee !...

Lydia avait pâli, ses lèvres ne formaient plus qu'une ligne mince :

— Sous prétexte que je lui dois un mois de loyer, il a mis mes affaires sous clef et ne veut pas me les rendre. Il voudrait que je... Le porc ! acheva-t-elle d'un ton qui en disait plus sur sa naissance que ses bagues armoriées.

Steve en prit avantage :

— Si vous ne le faites pas pour moi, faites-le pour Lee alors... Vous pourriez partir avec nous, après qu'il vous aura rendu vos affaires, naturellement ?

Lydia ne put répondre car la porte venait de s'ouvrir et ils n'eurent que le temps de se retourner.

— Toi 'ien à fai'e ici ! dit Lee, se dirigeant pesamment vers Lydia. Toi fout'e tout de suite le camp !

— Allez au diable ! dit Lydia. Je partirai quand il me plaira.

Lee la saisit par le bras :

— Toi pa'ti' tout de suite et plus jamais veni' ici ! Ou moi te batt'e...

— Un instant, Lee !

Steve n'avait pas bougé, mais il sentait ses poings se faire d'instant en instant plus lourds :

— Otez vos pattes de là ou, par Dieu, je vous rentre dedans !

— 'ent'er dedans ? fit Lee.

D'une seule poussée il avait envoyé Lydia dans le couloir.

— Et moi te bouffer le nez ! acheva-t-il paisiblement, appliquant sa main large ouverte sur le visage de Steve et le faisant tomber à la renverse sur le lit.

— Steve ! cria Floriane.

Steve avait rebondi comme une balle, mais pour se meurtrir les poings sur une porte maintenant fermée à clef de l'extérieur.

Un cri de femme lui parvint du couloir, puis un gémissement.

— Mon Dieu, Steve ! Qu'est-ce qu'il lui fait ? questionna Floriane.

— Il la persuade de m'acheter un revolver ! ricana Steve.

XIV

Quand, le lendemain matin, Malaise pénétra aux *head quarters* de la police, il s'attendait à trouver Mr Wu en compagnie d'un Matriche dégonflé et réduit aux aveux. A son vif étonnement, il le surprit en conversation amicale avec J.-J. Lawrence.

— Mr Lawrence m'exposait comment il rentre généralement de voyage vingt-quatre heures plus tôt que prévu afin de se retremper dans la vie familiale avant d'être repris par le tourbillon des affaires, expliqua Mr Wu.

— Je comprends..., dit Malaise. Bonjour, Mr Lawrence.

Il tenait à la main une grande boîte métallique qu'il posa sur le bureau.

— Trouvé la pie au nid ? questionna Mr Wu sans changer de ton.

— Non, dit Malaise. Coups de revolver évidemment perceptibles par téléphone. Baraque abandonnée. Dragon vert sur tenture, au premier. Pipes et matelas à appui-tête de cuir. Traces de lutte au rez-de-chaussée. Fiasco... Couché à 8 heures, Mr Lawrence ?

J.-J. Lawrence se redressa de toute sa taille :

— Pardon ?

— Je vous demandais comment vous avez occupé votre soirée du 12, précisa Malaise.

— Bourgeoisement, dit J.-J. Lawrence. Mon fils Archie avait la fièvre. 39°5. Mrs Lawrence m'a prié d'aller chercher le médecin...

— Et vous l'avez ramené quand ?

— Vers 1 heure. Il pleuvait. Je n'ai pas trouvé de taxi.

— Je comprends..., répéta Malaise. A quelle heure Archie a-t-il commencé à faire de la fièvre ?

— Au début de l'après-midi.

— De sorte que vous avez pu prévoir plusieurs heures d'avance que Mrs Lawrence vous prierait d'aller chercher le docteur ?

— Oui et non. Je comptais que Wang irait.

— Wang ?

— Mon boy.

— Et il était au cinéma ?

— Exactement. Comment avez-vous pu deviner ?

— L'habitude des romans policiers... En quels termes étiez-vous avec H. Aboody ?

— En mauvais termes.

— Pourquoi ? Il vous devait de l'argent ?

— Cela aussi.

J.-J. Lawrence croisa les jambes :

— Notre collaboration commença par être cordiale et... bénéfique. Bénéfique ? Bénéfique. Et puis, Aboody se maria.

— Ce n'est pas un crime, que je sache ?

— Non, mais généralement une sottise. Spécialement quand le mariage est fondé sur un malentendu.

— Un malentendu ?

— Aboody était ce qu'il est convenu — je crois — d'appeler un « homme à femmes ». Quant à Mrs Aboody, je la tiens pour une coquette, doublée d'une orgueilleuse. Une de ces femmes qui vous font perdre la face...

— Fortunée ?

— Je crois. Sur mes conseils, Aboody réussit à l'intéresser à notre affaire...

— Etait-ce indispensable ?

— Disons : « nécessaire »...

— Et puis elle changea d'avis ?

— Oui, et elle exigea le remboursement de ses fonds... Le bateau sombrait... Je décidai de vendre, partis pour Canton... J'étais loin de pressentir la tragédie qui m'attendrait au retour...

— Connaissez-vous un certain Zetskaya ?

— Non, mais j'en ai entendu parler. En mal.

Malaise commençait à se reprocher de voler son salaire : il n'était pas payé pour s'amuser.

— Je soupçonne H. Aboody de s'être livré au trafic d'opium..., commença-t-il.

— Moi aussi ! dit vivement J.-J. Lawrence. C'est encore une des raisons pour lesquelles je suis parti pour Canton... Malheureusement il n'était déjà plus temps de vendre...

— Depuis combien de temps vivez-vous en Chine, Mr Lawrence ?

— Depuis l'âge de dix ans.

— Et vous-même n'avez jamais goûté à l'opium ?

J.-J. Lawrence devint tout rose. (« Pour qu'il devienne rouge, pensa Malaise, il faudrait lui demander son opinion sur le port du corset. »)

— Jamais ! dit J.-J. Lawrence. Je réprouve l'usage de l'opium, du tabac et de l'alcool. J'aspire à une vie saine et simple, ajouta-t-il comme s'il n'y croyait pas lui-même.

Malaise se leva. Il était sûr qu'il avait encore un tas de questions à poser, mais il était non moins sûr que cela ne servirait à rien.

— Je vous remercie, Mr Lawrence... Meilleurs vœux de bonheur pour Archie, ajouta-t-il impulsivement.

Mr Wu, qui avait fait preuve pendant l'interrogatoire d'une discrétion tout orientale, regarda la porte se fermer. Puis il soupira :

— Route longue et difficile... Rien que des innocents !

— Ou rien que des coupables ! grommela Malaise. Avez-vous envoyé quelqu'un au *Roma* ?

— Oui. Le coup de téléphone a été donné par un homme répondant au signalement de Steve Alcan.

— Ah ! Je me demande ce qu'il pouvait bien vouloir à Aboody !... Et Matriche, que dit-il ?

— Il se tait. Il prétend — excusez-moi, commissaire — ne vous avoir jamais vu.

— Le contraire m'eût étonné. L'essentiel est que je

l'aie vu, moi !... J'imagine que vous allez le réinterroger... amicalement ?

— Certainement. Mais mes hommes ont eu la bonne fortune de mettre la main sur miss Mona Lindstrom et j'avais pensé que...

Malaise n'en entendit pas davantage.

— Miss Mona Lindstrom ! hurla-t-il, ouvrant une porte, puis une autre.

Quand il se retourna, la jeune fille était assise en face de Mr Wu, rabattant fébrilement — et inutilement — sa jupe sur ses genoux.

— Je ne sais rien ! dit-elle, devançant toute question. Et je... Je ne dirai rien !

— Route longue et difficile ! soupira Mr Wu.

Malaise s'était rapproché, élargissant les épaules comme il le faisait chez le tailleur :

— Miss Lindstrom ?

Et jamais question n'avait été plus superflue :

— Où étiez-vous et que faisiez-vous le 12 au soir ?

— Je... J'avais été invitée à dîner...

— Par qui ?

— Par Steve Alcan.

— Au *Roma* ?

— Oui. Comment le savez-vous ?

— Je relayais la dame des lavabos ! Vous n'avez regagné votre pension de famille que tard dans la nuit... Pourquoi ?

— Parce que... j'avais espéré ne jamais y retourner.

— Vous vous attendiez à quoi ? A être enlevée ?

— Je ne sais pas... Je ne sais plus...

— Mr Alcan vous a quittée pour téléphoner ?

— Oui, deux fois.

— Deux fois ?

— Oui, puis il est parti pour tout de bon.

— Et vous l'avez suivi ?

— Pas tout de suite : il m'avait commandé des crêpes flambées.

— Vous n'avez pas pu le rattraper ?

— Non. Je... J'ai erré dans les rues. Il pleuvait, mais je ne voulais pas rentrer.

— Pourquoi vous a-t-il laissée ? Vous vous êtes disputés ?

— Non !... Pourquoi nous serions-nous disputés ?

— Je vous le demande.

— Il m'a dit avoir rendez-vous...

— Avec qui ? Avec une femme ?

— ...

— En somme il pourrait être mort que vous n'en sauriez rien ?

Les yeux de Mona se remplirent de larmes (et c'était ce que Malaise attendait, sans qu'il se l'avouât).

— Oui, mais ce... Ça m'est égal !

— Parce que vous ne l'aimez plus ?

— Non.

Malaise regarda Mr Wu et ce fut à son tour de soupirer :

— Encore une innocente !

Mona repoussait sa chaise, comme pour se lever. Malaise, d'un geste, la cloua sur place :

— Un instant ! Attendez !

Il prit sur le bureau la boîte métallique qu'il avait apportée et l'ouvrit. Elle contenait une machine à écrire qu'il disposa devant la jeune fille :

— Prenez du papier... Ecrivez... Mais, d'abord, reconnaissez-vous cette machine ?

— Non, il ne me semble pas...

— Très bien. Ecrivez... *Remettez cinquante mille dollars au mendiant qui stationne devant votre porte,*

ou vous ne passerez pas la nuit du 12 au 13... Signé :
Le Dragon vert... Post-scriptum : *Vous ne tirerez rien*
du mendiant. Les dieux lui ont refusé la vue et les Japs
lui ont pris la langue... Ça y est ? Donnez...

Malaise dégagea lui-même la feuille dactylogra-
phiée et la posa devant Mr Wu, à côté d'un des
authentiques avertissements du Dragon vert, que lui
avait confiés M. Wens :

— Regardez. Vous ne remarquez rien ?

— Si. Les deux textes présentent les mêmes défauts de frappe : *t* non barrés, *v* majuscules mal
alignés, *a* aux panses écrasées, mêmes écartements
inégaux, et... Croyez-vous que ce soit suffisant pour
conclure que la même machine a servi les deux
fois ?

— Si je le crois ?... Vous n'y auriez relevé qu'une
seule et unique défectuosité que les chances de découvrir une autre machine présentant un défaut simi-
laire seraient déjà de cent quatre contre une environ.
Vous en chercheriez une offrant deux défectuosités
identiques, et pas d'autres, que les probabilités s'élè-
veraient au carré de cent quatre, soit dix mille huit
cent seize. Mais comme, dans le cas présent, cette
machine présente quatre autres défauts encore, appa-
rents dans les deux textes, il en résulte que les cent
quatre probabilités se trouvent élevées à la seizième
puissance. Je ne possède pas de table de logarithmes,
mais le total doit atteindre plusieurs millions.

Mona examinait la machine :

— Je crois que je la reconnais maintenant... C'est
une vieille *Smith and Brothers* inutilisée depuis longtemps et dont Mr Aboody comptait se défaire.

— Je l'ai effectivement trouvée sous une armoire,
dit Malaise, et je n'aurais jamais eu l'idée d'aller l'y
chercher si mon bouton de col n'avait roulé par là...

Ces avertissements, miss Lindstrom, ce n'est pas vous, par hasard, qui les auriez tapés ?

— Moi ?... Pourquoi voudriez-vous que ?...

— Je vous le demande.

— Cela fait plusieurs mois que je n'avais plus vu cette machine, j'ignorais même ce qu'elle était devenue...

— Admettons ! Les lettres n'en ont pas moins été dactylographiées *dans le bureau même d'Aboody*, et très probablement par un des familiers de ce bureau... Steve Alcan peut-être ?

— Non, non, pas par Steve ! se récria Mona. Steve n'a jamais su taper à la machine. Je... Je suis plus sûre de lui que de moi !

— Parce que vous ne l'aimez plus ? dit Malaise.

Et revenant à Mr Wu :

— Qu'avez-vous fait de Matriche ?

— Il attend, à côté...

— Je le reprendrais en main, si j'étais de vous... Quant à moi, je fais un bond jusqu'à la clinique ! On devait opérer M. Wens ce matin, à 10 heures, ajouta Malaise en confidence, et je... J'aimerais être là quand il se réveillera...

— Je comprends..., dit Mr Wu.

XV

— Impossible, je regrette ! dit l'infirmière-chef. La transfusion a pris plus de temps que prévu. L'extraction ne sera pas terminée avant midi, comme je viens de le dire à monsieur...

Malaise, par-dessus l'épaule, repéra d'un coup

d'œil un homme grand et mince qui s'éloignait sans hâte et dont il eût reconnu le dos entre mille.

Il le rattrapa à l'angle du couloir :

— M. Zetskaya ?... Je n'aurais pas cru que vous vous intéressiez à la santé de M. Wens ?

— Vraiment, commissaire ?

Le métis avait tiré un étui d'or de sa poche et le tendait, ouvert, à son interlocuteur :

— Vous n'imagineriez jamais le nombre de choses auxquelles je prends intérêt. Cigarette ?

— Merci, non. Depuis quand le connaissez-vous ?

— Qui cela ?

— Vorobeïtchik.

— Mais je ne le connais pas !

Zetskaya referma son étui avec un bruit sec :

— Cette démarche m'a été dictée par un senti-ment... Comment dire ?... de pure solidarité humaine.

— Ça va ! grommela Malaise. De quoi avez-vous peur ? Qu'il ne parle ?

— Au contraire. Pour ne vous rien cacher, c'est ce que j'espère... Il arrive que les vapeurs d'anesthé-sique produisent les mêmes effets que le « pentho-tal »... M. Wens peut laisser échapper quelque secret, à son réveil. J'aurais aimé être près de lui à ce moment-là.

— Pour apprendre quoi ?

— Eh bien... l'identité du Dragon vert, par exem-ple.

— Parce que vous savez qu'il existe un Dragon vert ?

— N'en existe-t-il pas un ? Qui plus est, ne croyez-vous pas que c'est moi ?

— Si vous aviez la conscience tranquille, la révéla-tion de son identité vous laisserait indifférent.

— Je suis enclin à régler mes comptes moi-même.

Il ne me déplairait pas de vous apporter sa tête sur un plateau et... de recouvrer ainsi votre estime.

Malaise chercha les yeux de son interlocuteur. Ils étaient réduits à deux lignes obliques et brillantes dont l'expression — indéchiffrable — l'inquiéta. N'était-ce pas de l'ironie ?

— Personne d'autre que moi n'assistera au réveil de M. Wens, décida-t-il. Où étiez-vous et que faisiez-vous pendant la nuit du 12 au 13 ?

— Une question que j'attendais plus tôt, commissaire !... J'étais là où je suis chaque nuit. Vers 11 heures dans un cabaret de Shanghaï, vers minuit dans une maison de jeu de Chapei, vers 1 heure ailleurs. Tantôt écoutant une chanteuse réaliste, tantôt jouant au fang-tang ou au poker...

Zetskaya tira de sa poche un papier plié :

— Prenez cette liste. Vous y trouverez mention de tous les endroits où je suis allé, de l'heure à laquelle j'y suis entré, de celle à laquelle j'en suis sorti, plus les noms et adresses de divers témoins qui y certifieront ma présence... Quelque chose, voyez-vous, me disait que cette nuit-là ne ressemblerait pas aux autres !

Malaise enrageait :

— Merci. Vous faites, je crois, le portrait de Mrs Aboody ?

— Oui. Entre 5 et 7.

— Aboody était-il au courant ?

— Je crois, oui.

— Et il n'y voyait pas d'objection ?

— Je ne sais pas. Je ne me soucie jamais de l'opinion des maris.

— Que pensiez-vous de lui ?

— Je le connaissais peu. Il ne m'aimait pas... à ce qu'on m'a dit.

— N'avez-vous jamais craint qu'il vienne briser vos pinceaux ?

— Non : il aurait d'abord dû briser sa femme.

— Je vois... A propos, qu'avez-vous fait de votre *amah* ? Iris ? Pavot ?

— Lotus ?

— C'est cela. J'ai sonné hier et aujourd'hui à votre porte sans qu'elle vienne m'ouvrir.

Zetskaya, d'une chiquenaude, jeta sa cigarette à demi consumée :

— Elle est dans sa famille. Je le suppose, du moins. Congé payé..., ajouta-t-il sur le ton de la confidence. Que puis-je encore pour vous, commissaire ?

— Rien, grommela Malaise. J'espère simplement pour vous que votre alibi tiendra.

— Soyez-en sûr, dit Zetskaya. Je n'hésite jamais à me procurer ce qu'il y a de mieux comme témoins sur la place.

XVI

— Dois-je en conclure, monsieur Matriche, que vous ignoriez l'existence des lettres de menaces adressées à Mr Aboody ?

— Pour sûr que je l'ignorais, ou je n'aurais pas...

— Vous n'auriez pas choisi la nuit du 12 au 13 pour tenter de détruire la preuve de vos détournements ?

— Ce n'est pas ce que j'ai voulu dire !

— *Le mensonge, comme un chien méchant, se retourne tôt ou tard contre son maître pour le mordre,* soupira Mr Wu. Et *Le Ciel* — a dit Confucius — *finit toujours par découvrir ce que l'homme cherche à cacher*.

Matriché ricana :

— Qu'espérez-vous ?... M'avoir à la politesse ?...

— Nous sommes un peuple poli, admit Mr Wu. Ainsi, si je dis à Wang de vous donner un coup avec la crosse de son fusil, je vous prierai d'abord de ne pas m'en garder rigueur et Wang vous frappera sans brutalité superflue.

Matriche changea de couleur :

— *Damné Chinky !* Vous oseriez ordonner à l'un de vos répugnants macaques de porter la main sur un Blanc ?

— Non pas la main, mais la crosse de son fusil, rectifia — poliment — Mr Wu. Ce faisant, nous serions tous deux emplis de confusion, mais la conviction d'économiser le temps — et, par voie de conséquence, l'argent de l'Etat — atténuerait nos scrupules.

— Bravo ! s'écria Malaise qui entrait. M. Wens paraît sauvé, annonça-t-il, rayonnant, et, si nous ne trouvons pas la clef de l'énigme, on peut compter maintenant qu'il nous la livrera à son réveil... Vous ne vous reposez donc jamais, Mr Wu ?

Le Chinois eut l'air de s'excuser :

— *L'homme sage plante le figuier avant de s'endormir sous son feuillage*, a dit Lao-Tseu.

Malaise essuya la citation sans sourciller :

— Alors, Inaudi ?... Tu te mets à table ?

Matriche haussa ses massives épaules. Sa barbe lui avait envahi les joues jusqu'aux yeux et il grattait stérilement une tache sur son pantalon.

— Dois-je comprendre que vous m'incitez à avouer un crime dont je suis innocent ? questionna-t-il, parodiant Mr Wu. En ce cas, commissaire, je ne puis que vous répéter deux choses : *primo*, j'ai passé intégralement la nuit du 12 au 13 dans mon lit, et seul, ce qui prouve à tout le moins que je n'ai pas cherché à me forger d'alibi ; *secundo*, vous avez dû vous laisser abuser par une ressemblance... Soit dit en passant, ma parole vaut la vôtre.

Malaise bondit :

— Répète voir !

— J'ajoute que vous ne sauriez même pas me poursuivre pour détournements, Aboody n'ayant pas porté plainte.

Malaise bondit derechef :

— Il n'a pas porté plainte parce que tu ne lui en as pas laissé le temps, parce que tu l'as descendu avant !

Matriche secoua sa grosse tête :

— Aboody n'aurait jamais porté plainte...

— Pourquoi ? Vous étiez frères de lait ?

— Non, mais il trafiquait de l'opium... *et il savait que je le savais*.

— Tu es sûr de ce que tu avances ?

— Plutôt ! Cuisinez Chen, son *shroff* (1) et passez aux rayons X la cargaison du premier rafiot qui quittera le wharf n° 4... Je parie votre moustache contre ma barbe que vous y découvrirez de quoi ébranler la Grande Muraille !

— Merci du tuyau ! dit Malaise. Quant à faire chanter Aboody, tu ne t'y serais jamais risqué : trop coriace pour toi, Aboody, et j'ai idée que tu tiens à mourir bourgeoisement... L'aurais-tu d'ailleurs osé que tu ne te serais pas amusé à chipoter dans la caisse... Seulement, voilà, ces menus prélèvements-

---

(1) Employé indigène généralement chargé des ventes et négociations avec ses compatriotes.

là, Aboody n'était pas homme à te les pardonner non plus ! En fait, je crois qu'Aboody ne pardonnait jamais rien... C'était sa peau ou la tienne... Tu as dû entendre parler du Dragon vert et voir là une occasion unique de faire endosser ton crime à autrui... Tu n'y as pas manqué...

Matriche grattait obstinément son genou :

— J'ai déjà dit à votre petit copain jaune que j'ignorais les menaces dont Aboody était l'objet...

— Mais je ne suis pas obligé de te croire !

— C'est du kif-kif ! Supposons que je mente et que je les connaissais : je ne me serais jamais fourré dans un tel guêpier, d'autant que le Dragon vert travaillait pour moi !... Supposons maintenant que je dise vrai et que je les ignorais : je ne pouvais me douter qu'Aboody passerait la nuit dans son bureau. Qui plus est, avec un flic !

Malaise accusa le coup. Puis il éclata :

— Que diable alors es-tu allé foutre là-dedans ?

— Je vous ai déjà dit que j'étais dans mon lit et que...

Matriche releva brusquement la tête :

— Oh ! et puis merde ! Autant lâcher le paquet : on pourra parler musique... J'en avais marre d'aligner des chiffres à longueur de journée dans une carrée aussi exiguë qu'une cage à serin...

— Et l'envie t'a pris d'épucer un autre chien ? Un moins hargneux ?

— Si vous voulez, et de changer de panorama... Je savais qu'Aboody y regarderait à deux fois avant de lancer les flics à mes trousses car il lui aurait fallu les laisser fouiner dans ses affaires... J'ai décidé de détruire mes livres et de ratisser la caisse...

— Une solution homéopathique en quelque sorte ! Comment t'es-tu introduit dans les bureaux ?

— Par la porte.

— A quel moment ? Quand je me suis mouché ?

— Je ne sais pas... Quand les murs ont tremblé.

Malaise se contraignit — malaisément — au calme :

— Ça va !... Tu t'étais fait faire une fausse clef ?

— Oui, le jour de mes premiers prélèvements.

— Petit prévoyant ! Et tu ne t'es pas demandé ce que je fabriquais là ?

— Si, mais j'ai pensé que vous surveilliez la maison d'en face.

— Pourquoi la maison d'en face ?

— Et pourquoi pas la maison d'en face ?... Tout de même, si j'étais entré ouvertement, vous auriez pu me remarquer et être amené à témoigner contre moi par la suite... Je songeais donc à renoncer quand vous avez eu la bonne idée de me tourner le dos...

— Qu'est-il arrivé ensuite ?

— La clef a joué sans bruit et j'ai été tout droit à la comptabilité où je me suis attaqué au coffre, aussi facile à ouvrir pour moi qu'une boîte de sardines...

— Tu avais pourtant dû remarquer de la lumière dans le bureau d'Aboody ?

— Oui, et un bruit de voix... Ça m'a de nouveau donné envie d'abandonner, mais Aboody avait exigé que je lui montre mes livres le lendemain et je le savais à bout de patience... Il me fallait agir cette nuit-là, ou quitter Shanghaï les mains vides...

— Pendant que tu « travaillais », tu n'as rien remarqué d'anormal ?

— Non, tout était calme, tranquille...

— Tu n'as éprouvé à aucun moment le sentiment d'être observé, épié ? Tu jurerais que tu étais seul ?

Matriche hésita.

— Oui, répondit-il à contrecœur, ou vous pensez bien que je n'aurais rien eu de plus pressé que de me tirer...

— Après ?

— Après, le téléphone s'est mis à sonner dans le bureau d'Aboody... et ça m'a flanqué une de ces trouilles !

— Qui a répondu ?

— Aboody, je crois...

— Tu n'as pas entendu ce qu'il disait ?

— J'avais mieux à faire qu'à écouter... d'autant que la pétarade a éclaté presque tout de suite après, la pétarade et un autre bruit, comme un bruit de verre cassé...

— Avant ou après les coups de feu, le bruit de verre cassé ?

— Vous ne voulez pas que je vous dise aussi quand on a inventé le télégraphe ? Avant et après, il me semble... Je ne pensais qu'à me faufiler... J'ai tout lâché : livres et coffre... Et puis j'ai mis le pied sur un objet dur, un automatique éclairé par la lumière qui venait du bureau, et...

— Tu l'as ramassé ?

— Oui. C'était idiot, bien sûr, mais mettez-vous à ma place ! J'ai commencé par croire que l'on me tirait dessus, puis j'ai entendu un autre bruit, dans mon dos, comme si quelqu'un venait... J'ai réfléchi depuis que ça devait être Confucius, mais sur le moment...

— Tu n'as songé qu'à défendre ta peau et tu as foncé vers la sortie, l'arme à la main ?

— Oui. Si c'était à refaire !...

Malaise fronça ses gros sourcils :

— Qu'est-ce que tu me racontes là ? *Alice au pays des merveilles ?*

108

— Je vous ai vu à la porte, mais il n'était plus temps de reculer... J'ai joué mon va-tout...

— Et tu as perdu ! Qu'as-tu fait de la seringue... si tu dis vrai ?

— Je l'ai jetée. Vous pensez si je me souciais qu'on la trouve sur moi !

— Où l'as-tu jetée ?

— Je ne sais pas. Dans une rue du quartier chinois. Par-dessus une palissade.

— Tu reconnaîtrais l'endroit ?

— Je pourrais toujours essayer...

— Hum ! fit Malaise.

Il se tourna vers Mr Wu, mais ce dernier avait déjà alerté ses hommes.

— Cigarette, monsieur Matriche ? proposa-t-il aimablement. Charlie et Chan vont vous accompagner en voiture et — au cas improbable, je veux le croire, où vous chercheriez à fuir — ils ont ordre de tirer sans sommation... J'espère pour vous que la palissade n'aura pas changé de place !

Le téléphone sonnait. Mr Wu prit la communication.

— Le laboratoire a analysé la bouteille de whisky et les verres, annonça-t-il comme Matriche sortait, encadré par les deux Chinois. Réaction positive. Les trois récipients contenaient du somnifère et un somnifère assez actif, vu la dose utilisée, pour provoquer le sommeil dans les vingt minutes. Son introduction dans l'alcool semble néanmoins en avoir retardé les effets.

— Je croyais que le basilic et le serpent étaient seuls à endormir leurs victimes avant de les frapper ! dit sombrement Malaise.

Le revolver fut retrouvé là où Matriche prétendait l'avoir jeté : rue des Paons, non loin de Range Road. Maculé de boue. Ne portant plus d'empreintes digitales visibles.

Indubitablement l'arme du crime, les experts en tombèrent d'accord. Le chargeur était vide. Le percuteur déviait à gauche, comme l'avait déjà prouvé l'examen des douilles. Mêmes stries dans le canon que sur les balles.

— Demain, après-demain au plus tard, dit Mr Wu, mes hommes auront découvert la provenance de l'arme : le temps de faire le tour des armuriers... Nous saurons du même coup qui est le meurtrier.

Malaise fut moins optimiste :

— Croyez-vous ? L'acheteur de ce joujou peut toujours prétendre qu'on le lui a volé. C'est ce que je ferais à sa place.

— Espérons que sa pensée est moins prompte que la vôtre, dit courtoisement Mr Wu.

XVII

Floriane allait et venait nerveusement dans la chambre comme pour en reculer les bornes : la porte, la fenêtre, la fenêtre, le lit, la porte. Des cernes bleuâtres étiraient ses yeux vers les tempes et son maquillage, dans la cruelle lumière du matin, ressemblait à un masque prêt à tomber.

Steve, assis sur le lit, la suivait d'un regard impuissant. Il avait le teint brouillé, lui aussi, et le menton mangé de barbe.

— Si vous buviez ce qui reste de whisky ? proposa-t-il sans conviction.

Floriane parut n'avoir pas entendu.

— Fuir ? dit-elle, répondant à une question depuis longtemps posée. Non, Steve... La police nous croirait coupables.

— Et que croyez-vous qu'elle s'imagine maintenant ? dit Steve. Nous aurons beau dire, nous ne la convaincrons jamais de notre innocence : les absents ont toujours tort... Tout au contraire, si nous quittions Shanghaï, nous pourrions refaire notre vie... ensemble ?

Floriane secoua la tête :

— Je ne veux pas quitter Shanghaï... maintenant. Je veux savoir ce qui s'est exactement passé pendant la nuit du 12 au 13. Je veux que... le meurtrier paie.

Au même instant on gratta à la porte et tous deux se regardèrent, retenant leur souffle.

— Qu'est-ce que c'est ? Qui est là ? chuchota Steve.

— Moi, Lydia... Etes-vous seuls ?

— Oui. Ouvrez vite !

Une clef tourna dans la serrure et Lydia entra. Elle portait une fourrure sur le bras et une valise dans la main gauche. L'autre, la droite, plongée dans la poche de son raglan, en sortit, alourdie par un objet noir :

— J'aurais dû dire : « Le revolver et moi... » Vos bagages sont prêts ?

Steve, impulsivement, la prit aux épaules :

— Mon amour ! Il faut que je vous embrasse !

Mais elle le repoussa :

— Ne vous excitez pas ! Je n'aime pas les hommes mal rasés. Ce que j'en ai fait, c'est pour Lee et...

Elle désigna la fourrure qu'elle portait sur son bras :

— ... Pour ma loutre.

— Peu importe pour qui vous l'avez fait !... Quand dînons-nous ensemble ? Vous me devez bien ça... après le service que vous venez de nous rendre !

— Si nous sortions d'abord d'ici ?

— C'est juste. Collez-vous toutes les deux derrière moi. Comment ça marche, votre truc ?... Il n'y a qu'à pousser là ?...

— Oui, mais attention ! Cela fait du bruit !

Ils traversèrent le palier désert et atteignirent l'escalier. Ils en avaient déjà descendu plusieurs marches quand Lee, assis comme d'habitude à une table bancale, près de la porte, leva les yeux.

Pendant une seconde ou deux on n'entendit plus que le grattement de sa plume qui continuait de courir sur le papier, achevant un mot commencé.

— Vous passer à t'avers les po'tes maintenant ? demanda-t-il enfin, l'air intéressé.

Steve descendit rapidement les dernières marches qui le séparaient de lui :

— Prépare notre note. Nous partons.

Lee posa sa plume et referma son registre :

— Beaucoup t'op soleil deho's. Mauvais. Vous 'ester enco'e un peu.

— T'en fais pas ! dit Steve. J'ai emporté une ombrelle.

Et il exhiba son automatique.

Au même instant un double cri tomba du haut de l'escalier :

— Steve ! Attention !... Tao !...

Steve se retourna pour se retrouver le nez écrasé contre la méchante moquette du vestibule, l'automatique, échappé de sa main, à un mètre de lui.

— Sonne-le ! dit Lee, se levant lourdement. Moi m'occuper des dames. Toi oublier toujou's Tao p'ofesseu' de judo ! ajouta-t-il plaisamment.

Steve reçut le talon de Tao sur la joue droite et boula vers l'escalier. Les deux Chinois s'avançaient vers lui. Il saisit le bord du tapis à deux mains et tira de toutes ses forces. Lee et Tao tombèrent. Circonstance aggravante pour eux, Lee tomba sur Tao.

Steve ramassa vivement son automatique :

— Et moi, j'avais oublié de vous dire que j'étais champion du lever de tapis !

Il se tourna vers Floriane et Lydia :

— Mon amour, ma faiblesse... Quand il vous plaira...

XVIII

Le capitaine Soubhi voulut discuter, mais Malaise ne lui en donna pas le temps.

— Brigade Internationale des Stupéfiants ! coupat-il.

Il lui fourra dans la main les pièces officielles l'habilitant auprès du gouvernement chinois.

— Amusez-vous avec ça !

Puis il se tourna vers les Jaunes en uniforme qui attendaient passivement ses ordres :

— Allez-y, vous autres ! Vous savez quoi faire...

Les soldats plongèrent aussitôt dans la cale tandis que Malaise obliquait vers la cabine du capitaine.

Moins d'une demi-heure plus tard un des Chinois frappait à la porte, entrait et claquait les talons :

— Si commissai'e vouloi' veni' ?... Seu-Tchouen avoi' t'ouvé...

Malaise le suivit dans la cale. Les soldats n'avaient éventré que quelques caisses, mais ils avaient apparemment éventré les bonnes.

Le destinataire en était un certain Theodorides, Galatea, Istamboul, et elles contenaient prétendument de la soie de Canton. Mais, au creux de chaque pièce, reposaient de petits paquets oblongs décorés d'hiéroglyphes enluminés.

— *Lam Kee, Lam Kee Hop, Cock and Elephant, Cheong Chiken, Cheong Rosster, Lion Globe and Elephant... Chandu* pou' tous les goûts ! annonça triomphalement Seu-Tchouen dans son ébouriffant *pidgin*.

Son large sourire faisait songer à un melon dont il aurait manqué un quartier.

Malaise ne répondit pas.

Ainsi il ne s'était pas trompé. Ainsi Aboody était bien l'homme qu'il cherchait depuis son arrivée à Shanghaï : le Blanc qui empoisonnait ses frères jaunes... et les autres.

Mais sa tâche ne lui paraissait pas terminée pour autant.

Il lui restait à découvrir qui était le Dragon vert.

Il lui restait à châtier celui qui avait essayé de lui tuer un ami.

XIX

Mr Wu accueillit Malaise avec des airs de conspirateur.

— Ils sont là ! chuchota-t-il, désignant la porte de

la pièce à côté d'où provenait un bruit confus de voix.

Avec ses lunettes aux verres bombés, il ressemblait plus que jamais à un poisson des grandes profondeurs.

— Qui ça : « Ils » ? dit Malaise.

— Mrs Aboody et M. Alcan. Mes hommes les ont appréhendés à Soochow Creek il y a une heure, au moment où M. Alcan demandait à un capitaine de cargo de les prendre clandestinement à bord.

— Vous les avez interrogés ?

— Pas encore. Mrs Aboody s'est évanouie en arrivant ici et j'ai fait appeler un docteur qui lui prodigue actuellement ses soins. J'ai pensé en outre que vous aimeriez entendre ce qu'ils auraient à nous dire...

— Et comment ! dit Malaise. Allons les voir.

Ils trouvèrent Floriane Aboody étendue, les yeux fermés, sur une chaise longue de rotin, une main dans celle de Steve, tandis que le docteur, un vieil homme à moustaches de phoque, rallumait une cigarette éteinte en refermant sa trousse. A l'arrière-plan, deux Chinois en uniforme regardaient la scène — la regardaient-ils ? — d'un œil atone.

— Dépression nerveuse consécutive à une émotion trop vive, diagnostiqua le docteur, répondant à une question muette de Malaise. Peut-être aussi à...

Il s'interrompit, considérant Mr Wu et Malaise d'un œil soupçonneux :

— Quand désirez-vous interroger cette dame ?

— Le plus tôt possible, dit Malaise.

— En ce cas repassez dans une heure : ma piqûre l'aura remise d'aplomb.

— Et à moi, vous ne donnez rien ? demanda Steve.

Le vieux docteur leva ses sourcils touffus :

— Si, un conseil : soignez votre foie.

Malaise observait Steve. Etait-ce son homme ? « Visiblement amoureux de la femme du défunt », pensa-t-il. Et drôlement bien placé, comme il l'avait fait remarquer à Mona, pour taper les lettres de menaces sur la *Smith and Brothers*...

— Passons à côté, dit-il, le touchant à l'épaule. Nous avons des questions à vous poser.

Steve sursauta, sans cesser de regarder Floriane :

— Tout de suite ?... Vous ne pouvez pas attendre qu'elle se réveille ?

— Le docteur se chargera d'elle.

Steve suivit Mr Wu et Malaise à regret.

— Vous n'auriez pas une cigarette ? demanda-t-il après avoir jeté un dernier regard à Floriane et comme si le simple fait de refermer la porte sur elle le délivrait d'un envoûtement.

— Prenez, dit Malaise, lui tendant un étui de *pigskin* noirci par l'usage. Nous ne nous attendions pas, je l'avoue, à devoir retourner tout Shanghaï pour vous retrouver. Que vous est-il arrivé ? Vous avez été enlevés ?

— Exactement. Et séquestrés pendant trois jours... ou deux, je ne sais plus ! Le temps paraît long quand la clef est de l'autre côté de la porte.

— Où avez-vous été retenus prisonniers ?

— Je ne sais pas. Dans une étable à porcs du quartier chinois. Nos geôliers étaient un certain Lee et un certain Tao... mais ils ont dû mettre les bouts tout de suite après nous. Nous y serions d'ailleurs encore sans l'aide d'une charmante jeune femme russe qui a bien voulu me procurer une pétoire... Pour rien, remarquez, pour mes beaux yeux !

— Son nom ? dit Malaise.

— Lydia.

— Lydia qui ?

— Lydia tout court. Elle doit être entraîneuse à l'*Olympic*, si j'ai bien compris. Mais je serais étonné qu'elle y retourne, de peur de représailles.

— De mieux en mieux ! grommela Malaise. Un hôtel dont vous ignorez l'adresse, une femme dont vous ne savez pas le nom... Vous avez tout de même dû lui donner votre numéro de téléphone ?

— Naturellement, mais de vive voix...

Steve soupira :

— Cela donne rarement de bons résultats !

Un greffier était apparu comme par miracle et le crépitement de sa machine à écrire faisait maintenant écho à chaque réplique.

— Noté ? dit ironiquement Steve.

— Noté, dit Malaise. Qu'est-ce qui vous a inspiré l'envie de quitter Shanghaï sans même nous dire au revoir ?

— Le désir d'arracher Flo... Mrs Aboody à ses souvenirs et de... de refaire notre vie ensemble. Je prévoyais aussi, si nous restions là, une montagne d'embêtements. Ça n'a pas raté !

— Quelle sorte d'embêtements ?

Steve fit un geste circulaire de la main :

— Ben, ça : syncope, troisième degré, où étiez-vous à zéro heure et vous n'espérez tout de même pas nous faire croire que !

— L'idée ne vous est pas venue que vous finiriez par être pincés tôt ou tard ?

— Vous ne nous auriez jamais pincés si le capitaine Mortimer nous avait pris à bord. Il connaît l'archipel comme pas un.

— Comment l'auriez-vous payé ? Vous avez donc de l'argent sur vous ?

— Non, mais il savait où aller en chercher : on a

des amis ou on n'en a pas. Il nous aurait débarqués dans la première île heureuse que nous aurions rencontrée et nous aurions protesté de notre innocence par carte postale... Vous auriez bien été obligés de nous croire !

— Hum ! Quand avez-vous été enlevés ?

— En pleine nuit du 12 au 13, mais je ferais peut-être mieux de commencer par le commencement ?

— Je n'osais vous en prier... Vous avez dîné avec miss Lindstrom, à ce qu'on m'a dit ?

— Oui et non. Je téléphonais aux hors-d'œuvre, je téléphonais à l'entrée et je suis parti avant le dessert.

Steve se pencha en avant, attentif aux réactions de ses interlocuteurs :

— M. Wens et moi nous connaissions depuis longtemps. C'est sur ma recommandation qu'Aboody, menacé de mort, a fait appel à lui. Vous vous souvenez, commissaire ? Vous étiez là quand je lui ai demandé un entretien... M. Wens et moi sommes tombés d'accord pour que je surveille la femme tandis qu'il protégerait le mari, car le Dragon vert pouvait fort bien s'en prendre à la première pour amener le second à composition. J'avais invité Mona Lindstrom à dîner au *Roma*, un restaurant italien tout proche de Bubbling Well Road, et je n'eus rien de plus pressé, en y arrivant, que de téléphoner à Floriane pour lui demander de ne pas sortir. Elle m'envoya planter la sauge et je n'eus d'autre ressource que de la rappeler après les spaghetti bolognese. Sans succès cette fois : son numéro resta muet. Quoi faire ? J'appelai le bureau d'Aboody, prévins M. Wens...

« Telle était donc la raison du premier coup de téléphone », enregistra Malaise avec satisfaction.

— ... puis je décidai de retrouver Floriane coûte

que coûte. Mona faisait des façons, mais je ne lui avais déjà accordé que trop de temps. Je lui jurai que j'allais revenir et courus chez Aboody...

— Vous ne vous êtes pas querellés, par hasard ?

— N...on. L'auto devait déjà m'avoir pris en chasse, mais je ne le remarquai pas... Chez Aboody, j'eus beau presser le bouton de sonnette à le faire rentrer dans le mur. Je savais que les domestiques dormaient sous les combles et que Ti-Minn, notamment, ne se fût pas réveillée au bruit du tocsin. Mais si Floriane avait été chez elle... Par bonheur je me rappelai l'existence d'une station de taxis toute proche. Si Flo était sortie, elle avait dû en prendre un. Je traversai la rue et c'est alors que l'auto fonça, manquant me déquiller d'un cheveu...

— Un attentat ? dit Malaise.

— Je crois que vous appelez ça comme ça.

— Avez-vous pu distinguer qui conduisait ?

— Plutôt !

— Qui était-ce ?

— Ne vous en déplaise, commissaire, je préfère garder le signalement de l'écraseur pour moi ! D'autant que ça fait déjà une paye que je lui garde un chien de ma chienne...

Malaise soupira :

— Je suppose qu'il est inutile d'insister, de même que de vous rappeler qu'il ne vous appartient pas de faire justice vous-même ?

— Tout à fait inutile. *Tid apa !* (1) A la station de taxis, j'eus la chance de tomber sur un type à même de me renseigner : un de ces Chinooks capables de vendre père et mère pour un bouton de culotte. Il venait à peine de rentrer et n'avait pas chargé une

(1) En chinois : « Ça m'est égal. »

dame, mais deux. L'une d'elles était-elle une Blanche comme ci et comme ça ? Oui, il lui semblait bien. Et l'autre ? L'autre, il croyait bien que c'était une Jaune, mais il n'en était pas sûr. Comment peut-on être sûr de quoi que ce soit aujourd'hui ? Pouvait-il me conduire là où il les avait embarquées ? Oui, peut-être, mais ce n'était pas à la porte et, s'il consentait à m'y mener, il perdait l'occasion de charger d'autres clients qui... que... Bref, tout s'arrangea en dollars et, moins d'une demi-heure plus tard, il me débarquait devant une sinistre baraque de Hong Kew ou de Chapei, allez vous y retrouver la nuit, qui paraissent devoir vous tomber sur la tête au moindre éternuement...

— Impasse Woo-Sang ? questionna Malaise, inspiré. Une salle basse au rez-de-chaussée, avec bar américain ? Une fumerie en haut ?

— Ça y ressemble ! Je ne crois pas que j'aurais pu entrer si la porte n'avait été mal fermée. Le barman me regarda comme si je venais lui couper sa natte. « Whisky », dis-je. Il me servit un *Tom Collins*. « Moyen fumer *chandu* ? » Il joua les idiots de naissance : « Pas *chandu* ici. » Je bouillais : « Femme blanche ici. M'a donné adresse. Pas vu femme blanche ? » Autant faire les pieds au mur, ça l'aurait peut-être impressionné davantage ! « Pas *chandu*. Pas femme blanche. » L'idée m'effleura que mon chauffeur de taxi s'était foutu de moi, histoire d'arrondir sa pelote, mais je voulais en avoir le cœur net. Je commandai un second whisky et, pendant que mon type me servait un second *Tom Collins*, je marchai tout droit vers l'escalier qui s'amorçait dans le fond. Vous parlez d'un baroud ! Je n'avais pas atteint la cinquième marche que j'avais trois Chinooks sur les bras, cramponnés à moi comme des tiques à un chien. Vous auriez dû être là, commissaire, on se serait bien amusés... J'en basculai un par-dessus la rampe, me défis du deuxième d'une droite au foie et du troisième Dieu sait comment... Mais ces gars-là, plus on en descend, plus il y en a !... Ils étaient cinq après moi quand j'ouvris la porte du haut de l'escalier et, là, j'eus le tort de marquer un temps d'arrêt. Il faut dire que je m'attendais à tout, sauf à découvrir Floriane, un soufflant à la main, prête à se crêper le chignon avec une damnée Butterfly, armée elle-même d'un stylet... Un énorme bouddha, qui jouait les voyeurs, se précipita sur moi et je le descendis d'un coup de chevalière, mais ce fut mon chant du cygne... Quand je repris mes esprits, j'étais couché sur un lit, dans cette tôle dont je vous ai parlé en commençant, et Floriane reposait à côté de moi... Sauf son corsage déchiré et les mots qu'elle prononça en revenant à elle, sauf quelques bleus aussi par-ci, par-là que je peux vous montrer à titre de référence, j'aurais pu croire à un cauchemar ou que j'avais été visité par les mânes du petit père Fu-Manchu...

— Que vous ont dit vos geôliers ?

— Rien : ils n'étaient pas très liants. Ils nous ont simplement conseillé de ne pas sortir avant d'être tout à fait retapés... et, comme je voulais passer outre, ils nous ont bouclés dans notre chambre.

— Et qu'a dit Mrs Aboody ?

Le visage de Steve se ferma :

— Reproduction interdite... Demandez-le-lui !

Mr Wu et Malaise s'entre-regardèrent.

— Très bien ! dit Malaise. Après tout, j'aime autant ça ! Je note pourtant que vous êtes incapable de produire des témoins appuyant vos dires...

— Par exemple ! Et Mona ?

— Miss Lindstrom vous a vu quitter le *Roma* bien

avant minuit. Elle ne sait rien de vos allées et venues ultérieures.

— Il y a le chauffeur de taxi...

— A supposer que nous le découvrions, il ne pourra jamais que déclarer vous avoir conduit impasse Woo-Sang... d'où vous avez eu largement le temps de revenir pour jouer les dragons.

— Quand je vous disais que j'aurais mieux fait de mettre les voiles ! soupira Steve.

— Cette Chinoise qui menaçait Mrs Aboody, vous ne l'avez pas reconnue ?

— Si.

— Son nom ?

— Vous le demanderez à Mrs Aboody.

— Chevaleresque, hein ? grommela Malaise. Encore une question... Vous êtes resté le dernier en compagnie d'Aboody et de M. Wens le 12 au soir... Savez-vous qui leur a procuré le whisky — du *Johnny Walker* 1913 — qu'ils ont bu cette nuit-là ?

— Certainement. C'est moi. J'ai même prié le marchand de déboucher la bouteille, convaincu que j'étais qu'Aboody ne possédait pas de tire-bouchon.

— Peut-être savez-vous que ce whisky contenait un somnifère et que ce somnifère a contribué largement à mettre les deux hommes en état de moindre défense ?

— Non, je l'ignorais, dit Steve. Je l'aurais su, j'aurais acheté du *Black and White*.

XX

Malaise dissimulait mal son embarras : les femmes du monde lui rappelaient toujours qu'il était fils de blanchisseuse.

— Peut-être voudrez-vous bien commencer par nous expliquer ce qui vous est arrivé pendant la nuit du 12 au 13 ?

Il avait adopté d'instinct le ton engageant d'un homme qui a quelque chose à vendre.

— Suis-je tenue de répondre ? demanda Floriane après avoir pris le temps de la réflexion.

Voilà ! Les ennuis commençaient !

— Non.

— En ce cas je préfère ne parler qu'en présence de mon avocat.

Malaise regarda pensivement la pipe qu'il n'avait pas osé allumer :

— Comme vous voudrez ! Votre silence n'aura de fâcheuses conséquences que pour Steve Alcan, notre suspect n° 1, dont l'alibi s'appuie sur votre seul témoignage, et que nous allons devoir arrêter, vu les nombreuses charges relevées contre lui.

— Des charges ?... Quelles charges ?

— Il vous aime et aspirait à vous voir veuve. Il était mieux placé que quiconque pour taper les lettres de menaces sur une vieille machine à écrire *Smith and Brothers* découverte dans le bureau même de votre mari et dont les occupants habituels pouvaient seuls connaître l'existence. C'est lui qui a fourni à Mr Aboody et à M. Wens le whisky drogué qui les a endormis. Enfin son passé est loin d'être irréprochable — il semble n'être venu à Shanghaï que dans le but de l'enterrer — et nous inclinons à croire que Mr Aboody l'avait récemment découvert... un mobile additionnel, en quelque sorte !

— Puis-je vous demander l'heure exacte à laquelle mon mari a été tué ?

— Minuit 7.

— En ce cas, renoncez à soupçonner Steve... A ce moment-là il était étendu, inconscient, à mes côtés.

— Où cela ?

— Au premier étage d'une pseudo « maison de thé » de la ville chinoise...

— Impasse Woo-Sang ?

— C'est possible... Je ne sais pas...

— Hum ! fit Malaise. Vous répondez de l'innocence de M. Alcan, M. Alcan répond de la vôtre... Un échange de bons procédés, en quelque sorte !

Il jouait maintenant avec son briquet :

— Tout cela ne nous explique toujours pas ce que vous alliez faire impasse Woo-Sang...

Floriane considéra pensivement une couture de sa robe.

— J'espérais y trouver de l'opium, dit-elle d'une voix ferme. J'en étais privée depuis plusieurs jours et je... j'aurais fait n'importe quoi pour en avoir.

Malaise s'attendait à une révélation de ce genre. Et pourtant... Il se tourna vers Mr Wu, cherchant d'instinct son regard comme il aurait, au spectacle, épié les réactions d'un voisin devant une femme en train de se mettre nue. Peine perdue, naturellement ! Les verres épais de Mr Wu n'accrochaient pas la moindre étincelle.

Malaise posa la première question qui lui vint à l'esprit. Il comprenait maintenant pourquoi Floriane avait commencé par refuser de parler. Il s'expliquait aussi pourquoi le vieux docteur s'était montré réticent.

— Votre mari savait-il que vous vous adonniez à la drogue ?

« Lui qui en saturait Shanghaï, justement ! Etrange retour des choses. »

— Non. Du moins il n'en a rien su pendant longtemps.

— Et *vous*, saviez-vous qu'il en faisait contrebande ?

— Non !

Presque un cri.

— Ce... C'est impossible ! Jamais il n'aurait...

Malaise haussa les épaules :

— Savait-il quand il est mort ? Je veux dire : en ce qui vous concerne.

— Je crois qu'il commençait à se douter...

— Et il n'a rien fait alors pour vous empêcher de ?...

— Si, il m'a suppliée de renoncer à sortir, à rencontrer... certaine personne. C'est cela qui m'incline à croire que ses soupçons étaient éveillés.

— Avec qui souhaitait-il vous voir rompre ?

— Avec... un ami.

— L'ami qui vous procurait généralement de l'opium ?

— O...ui.

— Son nom ?

Floriane serra les lèvres, comme un enfant résolu à taire un secret. On n'eût évidemment jamais rien tiré d'elle si le sort de Steve n'avait été étroitement lié au sien :

— Je ne vois pas pourquoi je vous le dirais !

— Et si cet homme était le meurtrier ?

— Il n'avait aucune raison de s'attaquer à mon mari.

— Mais votre mari en avait de s'attaquer à lui ! Supposons que Mr Aboody ait finalement obtenu la certitude qu'il cherchait. Supposons qu'il ait menacé votre... ami de le dénoncer à la police. Supposons que votre ami se soit affolé et qu'il...

— Non, non ! Je réponds de lui.

— Préférez-vous courir le risque de nous voir arrêter un innocent ?

— Non, mais...

Mr Wu avait tiré son étui à cigarettes de sa poche.

— Celles-ci, conseilla-t-il, se penchant vers Floriane et prévenant son geste. Celles de gauche. Elles vous aideront à tromper l'attente.

Malaise se fût volontiers passé de cette diversion, mais il n'en montra rien. Il fit jouer la molette de son briquet et en profita pour allumer sa pipe :

— Le nom de cet... ami ?

Floriane aspira avidement la fumée de sa cigarette :

— Me promettez-vous au moins de ne pas l'inquiéter pour ?...

— ... Vous avoir empoisonnée à petit feu ? Non, nous ne l'inquiéterons pas pour cela !

Floriane hésitait encore.

Malaise décida de brûler ses vaisseaux :

— Son nom est Zetskaya. Il se donne pour peintre mondain et vos rendez-vous avaient lieu sous le couvert de séances de pose ?

— Piotr faisait réellement mon portrait ! protesta aussitôt Floriane. Je ne fumais que... qu'après.

— Où l'avez-vous rencontré ?

— En Europe, avant la guerre. Nous nous sommes retrouvés chez des amis communs, l'année dernière.

— Votre mari le connaissait, lui aussi ?

— Non, je le lui ai présenté.

— Et vous êtes allée chez lui tout de suite ?

— Oui. Il travaillait à une composition et je... je lui ai servi de modèle... mais il a été long à satisfaire ce qu'il tenait pour un caprice.

— Fumait-il quelquefois avec vous ?

— Non, jamais.

Comment cette idée vint-elle à Malaise ? Il n'aurait su le dire. Ce dont il eût juré — télépathie peut-être —, c'est que Mr Wu envisageait la même hypothèse.

— N'empêche que si Zetskaya ne vous avait pas initiée à...

Zetskaya, dont on ne savait rien et dont les ressources semblaient inépuisables, appartenant à une de ces factions nationalistes résolues à régénérer la Chine en en bannissant l'opium, Zetskaya jouant la comédie depuis le début et empoisonnant lentement la femme d'Aboody — Aboody, l'ennemi public n° 1 — pour mieux le réduire à merci, ou tout simplement exercer une subtile vengeance... Zetskaya, le Dragon vert...

— Il vous a attirée impasse Woo-Sang. Et alors...

Floriane secoua la tête :

— Non. Cela faisait déjà plusieurs jours que Piotr n'avait pas réussi à me procurer de la drogue : un arrivage qui se faisait attendre. Il devait s'absenter un jour et une nuit, la nuit du 12 au 13, et je... j'étais folle d'inquiétude... Je ne savais quoi faire... Alors il m'a dit que, si l'opium arrivait, il m'enverrait son *amah*, Lotus, que je n'aurais qu'à la suivre...

— Et Lotus est venue... comme une fleur ?

— Oui. Je croyais qu'elle m'emmènerait à l'atelier, mais...

— Elle vous a conduite impasse Woo-Sang ?

Floriane acquiesça, les mains aux tempes :

— Lotus m'a toujours détestée... Par jalousie, je crois... Une fois là-bas, elle me dit que l'opium n'était pas arrivé, mais qu'elle disposait d'une réserve personnelle, qu'elle m'en donnerait si je lui disais où je cachais mes bijoux...

— Vos bijoux ? releva Malaise.

— Oui, je... J'ai investi — englouti plutôt — toute ma fortune dans les affaires de mon mari. Herbert, qui a essuyé de nombreux revers, prétendait chaque fois que de l'argent frais pouvait seul le sauver, que je tenais son sort entre mes mains... Cela a duré des années — probablement ne trafiquait-il pas encore de l'opium alors — et puis, un jour, j'ai découvert que j'étais ruinée, qu'il ne me restait rien, rien que mes bijoux...

— Et vous vous y êtes cramponnée ?

— Oui, comme à... comme à une bouée. Ils représentaient ma dot, en quelque sorte !

— Votre dot ? s'étonna Malaise. Songiez-vous, par hasard, à divorcer ?

— Je l'aurais bien voulu, mais Herbert s'y opposait. Il prétendait ne pouvoir se passer de moi et je crois qu'il m'aimait... pour autant que les hommes comme lui soient capables d'aimer : il y avait l'argent, et puis il y avait moi. Il me poussait à mettre mes bijoux à l'abri dans une banque, mais j'ai toujours refusé. Je les voulais à ma portée, il me semblait que, si je m'en séparais, je les perdrais, eux aussi...

Floriane alluma une nouvelle cigarette, le regard fixe :

— J'avais terriblement besoin de fumer, ne fût-ce qu'une pipe, et Lotus le savait, elle avait déjà tout préparé, appui-tête de cuir, lampe, aiguilles, mis une boulette à chauffer... L'odeur m'en pénétrait, me grisait, mais je dis non. Je ne songeais plus qu'à fuir, prendre mon sac où j'avais glissé un browning... Je réussis à m'en saisir, à en tirer mon revolver... Au même moment un grand bruit éclata dans l'escalier, la porte s'ouvrit violemment et Steve apparut. Je me crus sauvée, mais des Chinois, qui le suivaient, l'assommèrent et...

— Et ?

— Lotus leur fit signe et ils s'emparèrent de moi, m'attachèrent à une chaise. Lotus leur jetait par instant un ordre et, chaque fois, ils serraient plus fort. Quand ils eurent fini, qu'il me fut devenu impossible de lever même le petit doigt, elle déchira le haut de ma robe et appuya un stylet sur ma gorge. « Toi pa'ler maintenant, triompha-t-elle, ou moi avoi' o'd'e de te tuer et le fai'e avec plaisi'... »

— Vous avez parlé ?

— Pas encore. J'avais remarqué un appareil téléphonique sur une table proche. J'ai prétendu que j'avais remis les bijoux à mon mari, que j'ignorais où ils étaient et j'ai supplié qu'on lui téléphone. J'espérais que, peut-être, il pourrait alerter la police, venir à mon secours... Lotus a hésité, puis elle a décroché, appelé un numéro...

— Quelle heure était-il ?

— Je ne sais pas. Près de minuit, je crois...

— Qu'a dit Lotus au téléphone, vous en souvenez-vous ?

— Elle a dit : « Allô ! maît'e ?... Non, elle di'e pas savoi', que son ma'i les a !... » Je la vois encore dans son costume noir d'*amah*, ne me quittant pas des yeux : « Elle nous supplier lui téléphoner... » Alors je ne sais ce qui m'est arrivé, mes nerfs ont subitement lâché, j'ai dû me débattre, hurler, appeler à l'aide, probablement m'évanouir... Une sensation de piqûre m'a ranimée : Lotus était penchée sur moi, la pointe de son stylet sur ma gorge, et elle appuyait, appuyait...

— Cette fois vous avez parlé ?

— Oui, ou elle m'aurait tuée.

— Qu'a-t-elle fait alors ?

— Elle a pris sur la table une seringue hypodermique toute préparée. Elle me l'a enfoncée dans le bras et je ne me suis réveillée qu'au petit jour, Steve étendu à mes côtés, dans une sordide chambre d'hôtel.

— Et l'idée ne vous est venue à aucun moment que Lotus et... votre ami Zetskaya avaient pu agir de connivence ? que Zetskaya et le Dragon vert pouvaient ne faire qu'un seul et même personnage ?

— Non, Piotr avait toute confiance en Lotus. Il se riait de moi quand je lui disais avoir peur d'elle, la jugeait incapable de m'attirer dans un guet-apens.

— Le *siun* (1) parfumé et la mauvaise herbe mélangés n'ont jamais senti bon ! se hâta de placer Mr Wu.

Malaise n'insista pas. Il réfléchissait...

Floriane Aboody pouvait bien raconter tout ce qu'elle voulait. Personne ne la contredirait, Lotus moins que tout autre, car qui la croirait ?... Quant à Steve, il se trouvait qu'il avait été assommé *avant* que Floriane fût — à l'en croire — réduite à l'impuissance, et cela autorisait toutes les hypothèses. D'un autre côté... Le récit de la jeune femme — si invraisemblable qu'il parût — expliquait à tout le moins les raisons du coup de téléphone reçu par Aboody quelques instants avant sa mort. Ebranlé par les protestations de Floriane, le Dragon vert — « le Maître », *dixit* Lotus — avait dû décider de recourir à un ultime

(1) Plante aromatique.

130

chantage : « Payez, dites-nous où sont cachés les bijoux, ou bien... » Malaise se représentait la stupeur des deux hommes dans ce bureau hermétiquement clos où ils se croyaient à l'abri de toute surprise et où l'ennemi se rappelait à eux grâce à cet allié inattendu : le téléphone. Qu'avait fait Aboody ? Peut-être avait-il demandé merci, peut-être — « Il y avait l'argent, et puis il y avait moi... » — avait-il cherché à temporiser, promis sans intention de tenir. Ce dont on pouvait répondre, c'est que M. Wens et lui, une fois instruits du danger couru par Floriane, avaient dû être aussitôt mus par une commune pensée : prévenir la police, voler au secours de la jeune femme. Et c'est alors qu'ils avaient été descendus ! Par qui ?... Par un émissaire du Dragon vert appliquant à la lettre une consigne infirmée par des événements imprévus, ou s'effrayant à l'idée que les deux hommes allaient donner l'alarme ? Matriche ? Un Matriche jouant double jeu et dissimulant ses vrais mobiles ?... Ou, alors un *outsider* ? Mais quel *outsider* ? Et comment eût-il réussi à s'introduire dans la place ?...

— Une dernière question, dit Malaise. Où avez-vous caché vos bijoux ?

— Au grenier. Dans une grande malle contenant des robes de ma grand-mère... mais je doute qu'ils y soient encore !

— De fait, le Dragon vert a une bonne avance sur nous ! dit Malaise, se dirigeant vers la porte.

— Où allez-vous, commissaire, s'inquiéta Mr Wu.

Il lui fallait un coupable, tout de même ! Pas deux, pas trois. Cela ne fait pas sérieux. Un. Or, du train où allaient les choses...

— Voir s'ils ont emporté les boas ! répondit Malaise, déjà dehors.

XXI

Le grenier ressemblait à tous les greniers : une poussière impalpable dansant dans un jour oblique, des meubles aux contours inamicaux sous leurs housses, des coins à chaque tournant.

La malle — une grande malle noire à ferrures — avait été traînée sous une lucarne et Malaise, à peine l'eut-il découverte, pressentit ce qu'il allait y trouver. Pour l'atteindre, il dut fouler un lit de robes fanées — zenanas, pékinés, libertys — jonchant le plancher comme des mortes sans tête.

Le couvercle résista longtemps, puis céda d'un seul coup.

La malle était vide, si l'on compte pour rien un frêle corps de femme en noir pyjama d'*amah*, au visage grimaçant, étranglée à l'aide d'un lacet.

Malaise lui toucha l'épaule, geste aussi inutile que de retourner le grenier à la recherche des bijoux. Lotus n'avait plus besoin de rien en ce monde si ce n'était d'une perle sous la langue et d'une branche de saule dans la main pour paraître devant les dieux, peut-être aussi d'une imploration à Kwan-Yin, déesse de la Miséricorde.

Malaise quitta le grenier, puis la maison.

Un pousse passait. Il l'arrêta, jeta une adresse. Il savait où aller.

XXII

Dans le taxi qui ramenait Floriane à sa maison de Bubbling Well Road, Steve ne put résister plus longtemps au désir de poser la question qu'il ruminait depuis des jours et des jours, et même des semaines, depuis qu'il savait :

— Comment avez-vous pu en venir là ? Comment n'avez-vous pas trouvé la force de vous reprendre et de ?...

— Vous me méprisez, n'est-ce pas ? dit Floriane. Si, si ! Vous admettriez à la rigueur que j'aie pris un amant, mais vous ne me pardonnez pas d'avoir voulu l'éviter... Je n'aurais pas pu prendre un amant, Steve, ou je... je vous aurais cédé à vous.

— Merci tout de même ! Qu'est-ce qui vous a empêchée ? Pas Herbert ?

— Non, un souvenir.

— Un souvenir ?

— Le souvenir d'un homme que j'ai chassé probablement parce que je l'aimais trop et que... que je ne tolérais alors aucune entrave. Je me suis mariée sur un coup de tête, comme on se jette à l'eau. Je n'espérais pas qu'Herbert m'apporte le bonheur, je comptais qu'il me procure l'oubli. Mais la partie était perdue pour lui avant d'être jouée.

— Et c'est alors que vous avez cherché le meilleur moyen de raviver ces souvenirs que vous vouliez tuer ?

— Oui. Il y a une étrange jouissance à s'avouer vaincue, à... à se dégrader. Avez-vous jamais pleuré un être cher ? Attendez que ça vous arrive, vous verrez ! L'opium est un don des dieux, Steve ! Il vous rend ce que vous croyiez perdu, et sous un jour plus riant, inespéré, comme une part de vous-même. Il ne vous console pas, il vous comble...

— ... en vous avilissant, vous tuant à petit feu ! grommela Steve. Regardez-vous : vous lui devez vos premières rides.

— Elles sont les bienvenues.

— Les rides ne vont bien qu'à une femme heureuse... Donnez-moi une chance de vous rendre heureuse. Vous en avez bien donné une à Herbert !

— Pas maintenant, pas encore... Plus tard peut-être...

Le taxi s'était arrêté. Steve aida Floriane à en descendre.

— Vous n'entrez pas ? s'étonna-t-elle.

— Non, dit Steve avec humeur. Je ne convoite jamais longtemps les figues qui sont attachées avec des ficelles ! Quand je pense que, pour vous...

— Oui ?

— Rien. Essayez du « Démorphène », c'est radical ! Et rappelez-vous que je vous aime assez pour jouer les doublures. Je... Je reviendrai demain.

Au même instant, et comme Steve remontait en taxi, un Chinois en uniforme entra dans le bureau de Mr Wu, claqua les talons. Il avait découvert l'armurier d'où provenait l'arme du crime. Elle avait été achetée quelque six mois plus tôt par un homme dont le signalement répondait trait pour trait à celui de Steve Alcan.

Mr Wu soupira. Un jeune homme si sympathique !

Mais l'être supérieur, s'il épargne ses paroles, prodigue ses actes (a dit Confucius).

Il délivra un ordre d'arrestation.

XXIII

— Vous déménagez ? dit Malaise, promenant un regard circulaire sur les murs de l'atelier d'où toutes les toiles avaient disparu.

— Non, je pars en voyage, dit Zetskaya. De vieux amis m'incitent à exposer à New York... Il paraît que Park Avenue commence à se fatiguer de Salvador Dali...

— Et l'idée ne vous est pas venue que nous pourrions encore avoir besoin de vous ?

— Non. Pour quoi faire ? Je vous ai fourni un alibi inattaquable... que vous n'avez certainement pas manqué de contrôler. Alors ?

Malaise s'assit :

— Alors, tandis que vous jouiez ici au poker et là au trente-et-quarante — excellent prétexte, remarquez, pour courir les rues en voiture — votre maîtresse, Lotus, attirait Mrs Aboody dans un traquenard, rue Woo-Sang, et l'y contraignait à dire où elle cachait ses bijoux... Entre-temps, elle téléphonait au Dragon vert pour prendre ses ordres, puis à Aboody, assassiné quelques instants plus tard...

— On ne peut plus se fier à personne, je me plais à le répéter ! Aux domestiques moins qu'à quiconque...

— Vous m'avez bien assuré hier que Lotus était dans sa famille ?

— Oui, mais je n'ai fait que répéter ce qu'elle m'a dit.

— Elle n'aurait pas plutôt rejoint ses ancêtres ?

— Famille, ancêtres, c'est tout comme !

Zetskaya tenait une mallette à la main.

Malaise la désigna :

— Qu'est-ce que c'est que ça ?

— Un nécessaire de toilette. Pur porc.

— Ouvrez-le.

Zetskaya sourit aimablement :

— Là, vous exagérez, commissaire ! Avez-vous un mandat ?

— Sûr ! Le voilà ! dit Malaise, posant le poing droit sur son genou.

— Je vois..., dit Zetskaya.

Un automatique pointait vers lui sa gueule menaçante.

— Permettez-moi toutefois de douter qu'une méthode aussi... directe emporte l'approbation de vos supérieurs.

— T'occupe pas de mes supérieurs ! Ouvre.

Zetskaya balança sa mallette à bout de bras :

— Attrapez !

Malaise ne bougea pas d'une ligne :

— Non. Ouvre toi-même.

— Comme il vous plaira.

Zetskaya posa le nécessaire et entreprit de se fouiller.

— Perdu la clef ?

— Il se pourrait... Non, la voici ! Voulez-vous jeter un coup d'œil ?

— Penses-tu ! Je vois très bien d'ici... Où les as-tu cachés ? Sous tes pyjamas ? Entre tes mouchoirs ?

— Quoi ?

— Les cailloux.

Zetskaya referma le nécessaire d'un coup sec :

— Le tour que vous donnez à cette conversation en ôte tout agrément, commissaire. Vous m'obligez aussi à vous rappeler que je suis pressé.

— T'énerve pas ! Assieds-toi... Pose ce machin par terre... Là... Pousse-le du pied vers moi... Encore un peu... Merci...

Malaise, sans quitter l'Eurasien des yeux, se pencha et fourragea de la main gauche dans le contenu du nécessaire. Ce fut vite fait.

— Bien inutile, un sac à éponge quand on use de gants de toilette ! Et bigrement lourd : tu l'aurais lesté avec des pierres... En tout cas on ne peut pas dire que tu t'es mis en frais d'imagination !

— Tout le monde n'est pas aussi doué que vous sous ce rapport, commissaire ! Puis-je fumer ?

— Si tu veux, mais pas d'entourloupettes ! J'ai la gâchette sensible.

Malaise se renversa dans son fauteuil avec complaisance :

— Remarque que tu n'avais pas mal manœuvré... Menacer le mari quand on ne songe qu'à dépouiller la femme, c'est d'un grand stratège ! Je reconnais que tu as même cherché à minimiser la casse en sevrant la jeune dame trois jours avant le grand soir : tu comptais sur le besoin d'opium pour lui délier la langue... Ce faisant, tu ne pouvais te douter que tu surestimais les vertus du *dross* et sous-estimais celles de la dame ! Entre nous c'était aussi mettre la pipe un peu cher... Lotus avait reçu des instructions précises et devait agir à ta place : ainsi comptais-tu te ménager un parfait alibi et probablement avais-tu prémédité de la liquider après coup ? C'est toujours embêtant de partager et quelque chose me dit que tu commençais à te fatiguer d'elle... La petite devait s'en douter, note bien, les femmes ont de ces intuitions, et c'est pour cela que... Mais nous n'en sommes pas encore là, nous en sommes au moment où les choses ont cessé de tourner rond... Désemparée par une résistance imprévue, l'intervention d'un tiers — promptement liquidé d'ailleurs, le tiers ! — et, *last but not least*, par des dénégations dont il lui était impossible de démêler le vrai du faux, Lotus fut obligée de te téléphoner... Elle savait où... Du coup, tes plans étaient en l'air ! Mais tu es homme à retomber bientôt sur tes pattes et voici ce que tu as dû faire...

— J'avoue que je suis curieux de l'apprendre ! Entre nous je me vois mal abattant un *full* tout en téléphonant à Aboody et en lui tirant dessus... car je suppose que vous m'accusez aussi de lui avoir tiré dessus ?

— Naturellement !... Tu me disais tout à l'heure que j'avais sûrement contrôlé ton alibi. Justement, je l'ai fait ! Le tout est de choisir un type qui a le menton faible ou le passé chargé... Tu ne jouais pas au poker à cette heure-là, tu avais lâché la partie pour aller « boire un verre ». Et d'un ! Ce n'est pas toi qui as téléphoné à Aboody, tu as fait téléphoner Lotus. Et de deux ! Du *Club Colonial*, où tu cartonnais, aux bureaux d'Aboody il n'y a pas cinq cents mètres : un saut de puce avec ta bagnole ! Et de trois ! Dès lors tout devient clair...

— Pas pour moi ! Je ne vois pas, notamment, comment j'aurais pu m'introduire dans la place...

— Par les portes dérobées, à mon avis, dont tu devais avoir les clefs ou que tu auras crochetées.

— Une chose à prouver, commissaire !

— Non, une chose que tu te feras un plaisir de nous expliquer !... Quand Aboody a décroché, tu étais là, à deux pas. Tu as compris que la petite dame s'était foutue de toi. Tu as compris qu'Aboody, dont tu observais les réactions, n'allait rien avoir de plus pressé que d'alerter la police, livrer bataille... Or, cela, il te fallait l'éviter coûte que coûte ! Aboody savait à qui sa femme devait d'être devenue une intoxiquée, il t'aurait infailliblement dénoncé, il aurait peut-être été jusqu'à te régler lui-même ton compte... Tu n'as pas dû hésiter beaucoup, tout juste le temps de te souvenir que tu étais censé jouer aux cartes... Tu as poussé la porte et les deux hommes s'attendaient si peu à une telle irruption qu'ils n'ont même pas pu se défendre...

— Vous me ravissez, commissaire ! En tant qu'auditeur, je veux dire.

— Attends, je n'ai pas fini ! Tandis que Matriche me déboulait dans les jambes, tu es retourné à ton club... et ton absence avait été si brève que « la main » ne t'était pas encore revenue ! Tu as dû essayer de téléphoner rue Woo-Sang. Sans succès.

— Je me disposais justement à vous demander par quel moyen j'aurais pu apprendre que Lotus avait fait parler Mrs Aboody puisqu'elle n'y a réussi, selon vous, qu'*après m'avoir téléphoné* ?

— Aussi ne l'as-tu pas appris ! Mais, méfiant comme je te connais, tu ne te serais jamais fié entièrement à un complice, surtout un complice aussi peu sûr que Lotus. Tu as dû faire surveiller la fumerie par un espion — un mendiant, tiens, tu es très bien avec les mendiants — et il t'aura, *lui*, téléphoné dès qu'il aura vu Lotus quitter la baraque. Tu savais que les bijoux étaient cachés Bubbling Well Road... ou tu n'aurais pas goupillé tout ça, tu n'as rien d'un pilleur de banques. Il te suffisait dès lors de *devancer* Lotus — rien de plus facile avec ta voiture —, de l'attendre, dissimulé dans le jardin, et de lui régler son compte une fois qu'elle t'aurait inconsciemment conduit jusqu'aux bijoux... Par parenthèse, si tu n'as pas donné le temps à Aboody de raccrocher, il est possible que Lotus ait perçu les coups de feu par téléphone, que cela l'ait affolée... Le fait qu'elle ait épargné Floriane et Steve, se contentant de les faire transporter dans un hôtel, m'incline à le croire : on n'assassine pas quand les gendarmes sont à votre porte...

Malaise vit venir l'attaque, mais ne put la parer. Il n'avait d'ailleurs jamais eu réellement l'intention de tirer.

Le bras pris dans un étau, il se sentit enlevé comme une plume et s'étala au plafond, le plancher tanguant au-dessus de lui, sa cravate autour de la cheville et sa cheville sous l'aisselle. Quand tout fut rentré dans l'ordre, et qu'il put porter le pied à son front, Zetskaya avait récupéré son nécessaire et annexé l'automatique.

— Vous êtes un homme étonnant, commissaire ! apprécia-t-il. Dommage — pour vous — que votre agilité ne soit pas à la hauteur de votre imagination... Vous voudrez bien m'excuser, mais ma voiture est devant la porte et je n'ai déjà perdu que trop de temps.

— Calte, tu n'iras pas loin ! grommela Malaise.

— Personne ne peut plus aller loin de nos jours... A propos, vous m'en voyez peiné, mais un certain handicap m'est indispensable !

Malaise vit venir le coup comme il avait vu venir l'attaque. Zetskaya lui écrasa la main du pied tout en le frappant à la tête de la crosse de son automatique. Malaise piqua du nez sur le tapis. Mais moins par nécessité que par prudence. Cette fois il avait réussi à s'effacer et, s'il lui parut que son crâne allait éclater, il n'en conserva pas moins une semi-lucidité.

Combien de temps s'écoula-t-il avant que n'éclatent les coups de feu ?... Pas même quinze secondes, il l'apprit par la suite.

Il se traîna vers la porte, mais elle s'ouvrit avant qu'il l'eût atteinte.

— Donnez-vous la peine de sortir, commissaire ! invita une voix connue.

Malaise obéit comme dans un songe, passa sur le palier.

Un grand corps y était étendu, un corps qui, visiblement, ne se relèverait plus.

— Lé... Légitime défense, naturellement ? interrogea Malaise.

— Naturellement ! dit Steve dont un bras pendait, inerte. Je montais comme il s'apprêtait à descendre. J'hésitais à tirer sans avertissement, avant même de lui avoir dit ma façon de penser, mais cet idiot m'a envoyé du plomb le premier... Vous pensez si j'ai riposté !

Malaise retourna le corps :

— Vous avez même riposté deux fois, il me semble ?

— Dame ! Une fois pour moi, une fois pour Floriane... D'autant que ce chauffard, vous savez, qui a failli me laminer la nuit du 12 au 13 et dont j'ai respecté l'anonymat...

— C'était lui ?

— Oui.

— Venez, dit Malaise. Allons voir Mr Wu... Il ne doit pas se douter qu'il a fini son enquête.

XXIV

Mr Wu se leva en voyant entrer Malaise et Steve et se porta à leur rencontre :

— Permettez-moi de vous féliciter, commissaire. Je n'espérais pas une solution aussi prompte. Où l'avez-vous appréhendé ?

— Chez lui. Il n'aurait jamais dû y remettre les pieds, mais il devait y avoir dissimulé les bijoux l'autre nuit et...

— Un chien retourne toujours chercher l'os qu'il a enterré, approuva sentencieusement Mr Wu.

Malaise fronça les sourcils :

— A propos, comment savez-vous déjà que ?...

— Ce serait plutôt à moi de m'étonner, commissaire, le rapport de mes hommes ayant été fourni pendant votre absence.

— Le rapport ? Quel rapport ?

— Le rapport sur la provenance de l'arme du crime.

— Ah ! oui, l'arme du crime !... D'où vient-elle ?

— De chez un armurier de Broadway East, un certain Hirsch.

— Et qui la lui a achetée ?

— Mais l'homme que vous venez d'arrêter, naturellement ! Steve Alcan. Il n'y a pas tout à fait six mois.

Malaise se tourna vers Steve :

— C'est vrai, ça ?

— Puisqu'on vous le dit !

Steve, qui se comprimait le bras gauche, fit une grimace de douleur :

— Mais je l'ai perdue peu de temps après. A moins qu'on ne me l'ait fauchée ! Je l'avais glissée dans le tiroir de ma table de travail, au bureau : on reçoit parfois de tels zèbres ! Et puis, un matin, elle n'y était plus... Notez que je n'accuse personne : j'ai très bien pu l'emporter machinalement et l'égarer Dieu sait où. J'ai bien connu un cornac qui semait ses éléphants chaque fois qu'il était poivre !

— Rappelez-vous, commissaire, intervint Mr Wu, que vous aviez vous-même prévu un tel système de défense de la part de l'acheteur de l'arme !

— Avec quoi as-tu descendu ton homme alors ? insista Malaise.

— Avec ceci, dit Steve, allant à sa poche. C'est le joujou que m'a procuré Lydia, vous savez bien, la Russe de l'hôtel.

— En ce cas, intervint de nouveau Mr Wu, vous n'avez pu vous en servir dans la nuit du 12 au 13 !

— Et qui vous a dit qu'il s'en est servi cette nuit-là ? grommela Malaise. M. Alcan a peut-être acheté l'arme du crime, mais il n'en a pas fait usage. Se l'étant appropriée d'une façon ou d'une autre, le meurtrier ne l'aura abandonnée sur les lieux que pour nous lancer sur une fausse piste.

— Mais comment se la serait-il procurée ?

— En pénétrant chez Steve en son absence ou en se faisant introduire dans le bureau d'Aboody quand il était sûr de n'y trouver personne et sous prétexte d'y attendre le retour du patron, ou celui du secrétaire... Il en aura profité pour taper les lettres de menaces sur la *Smith and Brothers*.

— Mais il aurait alors fallu que..., commença Mr Wu.

Malaise l'interrompit :

— Vous devriez bien ordonner à vos hommes de

ramener le corps. Je l'ai fait surveiller par un sikh, mais il ne peut moisir là.

— Le corps ! Quel corps ?

— Duquel voulez-vous que je parle ? Celui de Zetskaya ! Zetskaya, le Dragon vert... Et je remercierais Steve si j'étais de vous ! Il vous épargne bien des soucis. Instruction close par le décès du coupable. Vous allez pouvoir vous offrir des vacances, Mr Wu !

Mr Wu porta la main à son front :

— Oui, je... je crois que j'en aurai besoin ! Qui... Qui a... « descendu » (le mot parut lui coûter) Zetskaya ?

— Steve, naturellement ! Mais je dois dire que c'est Zetskaya qui a tiré le premier. Il allait fuir avec les bijoux de Mrs Aboody quand je lui suis tombé dessus. Il m'a envoyé au tapis — toujours votre sacré judo ! — et il dégringolait déjà l'escalier quand Steve est intervenu... Jetez plutôt un coup d'œil là-dedans ! acheva Malaise, posant le nécessaire sur le bureau.

— Mais Zetskaya n'a pas eu la possibilité de s'introduire dans les bureaux pendant la nuit du 12 au 13 ! Comment voudriez-vous que ?...

— Il sera entré par les portes dérobées.

— Les portes dérobées étaient verrouillées.

— Très bien ! Expliquez-moi alors par où il est passé !

Mr Wu s'effraya :

— Mais je ne veux rien expliquer ! C'est vous, tout au contraire, qui...

Malaise commençait à s'échauffer :

— Vous réclamiez un coupable et je vous en apporte un qui ne peut plus nier quoi que ce soit ! Vous n'allez pas vous plaindre maintenant que la mariée est trop belle ?

144

— Quelle mariée ? dit Mr Wu.

— Zetskaya n'a jamais eu l'intention de s'attaquer à Aboody, il n'en voulait qu'aux bijoux de sa femme. Il a chargé Lotus de toute la sale besogne pour pouvoir se forger un alibi. Mais Lotus — qui, soit dit en passant, n'a jamais mis les pieds dans sa famille — a voulu faire cavalier seul et c'est alors qu'il l'a descendue.

Mr Wu se tamponna discrètement le front :

— Parce qu'on a aussi... « descendu » Lotus ?

— Oui, alors qu'elle était penchée sur la malle... La malle, vous vous souvenez ? aux robes de la grand-mère...

— Non, je crains que... La grand-mère de qui ?

— De Floriane ! Zetskaya avait fait surveiller la fumerie par un mendiant. C'est ce mendiant — « ayez pitié du pauvre aveugle ! » — qui l'a prévenu — par téléphone — que sa complice prenait le large. Zetskaya se doutait naturellement que les bijoux étaient cachés Bubbling Well Road et il lui a suffi de la devancer, puis de la suivre jusqu'à la cachette..

— Mais cette dame...

— Quelle dame ? dit Malaise.

— La grand-mère...

— Je vous parle de Lotus, je ne vous parle pas de la grand-mère ! Celle-là est morte depuis longtemps, et bourgeoisement dans son lit. Lotus a dû percevoir l'écho des coups de feu par téléphone et c'est cela qui l'aura décidée à barboter le tronc à son seul profit... Vous saisissez ?

— Parfaitement ! dit Mr Wu. Cependant...

Il prit un parti héroïque :

— Je me demandais si vous consentiriez à m'accorder une grande faveur, celle de rédiger mes conclusions à ma place, car, dans l'état actuel des choses, compte tenu de la mariée et de la grand-mère...

— Vous vous sentez un peu dépassé, hein ? *Okay !* Appelez votre greffier. Je vais m'y mettre immédiatement.

Mr Wu appuyait le doigt sur un timbre quand une autre sonnerie, celle du téléphone, retentit.

— Le Dr Fannay-Brown me prévient que M. Vorobeïtchik est hors de danger et en état de répondre à un interrogatoire, annonça-t-il après avoir raccroché. Je vous propose de nous rendre à la clinique.

— Quoi ! Tout de suite ? dit Malaise.

— Ne brûlez-vous pas comme moi d'entendre ce qu'il a à nous confier ?... Vous rédigerez vos conclusions après. Elles n'en auront que plus de poids.

— Notre visite risque de le fatiguer.

— Le Dr Fannay-Brown prétend que non.

— Si vous vous mettez à croire ce que disent les toubibs !

— Il nous accorde une demi-heure. Nous ne nous attarderons pas.

Malaise se gratta la nuque :

— Pour tout vous dire, M. Wens est un vieil ami et je... j'aurais voulu être le premier à...

— Je comprends... Vous vous assoirez seul à son chevet. Lo Yu et moi resterons à l'écart.

— Lo Yu ! Vous emmenez Lo Yu ? Pour quoi faire ?

— Mais... pour sténographier la déposition de M. Wens. Comptez néanmoins sur ma discrétion.

— Très bien ! Partons ! dit Malaise.

Son regard tomba sur Steve :

— Venez aussi... Ils vous rafistoleront le bras.

XXV

— C'est moi qui vous ai fait appeler, dit M. Wens. Ils ne voulaient pas me donner de cigarettes... J'ai pensé que vous en auriez.

Il avait pas mal maigri — « fondu », se dit Malaise — et une barbe poivre et sel, poussant naturellement en collier, en faisait un autre homme.

Mr Wu tira vivement son étui d'or de sa poche, mais il était vide. Quant à Malaise...

— Je t'ai apporté des raisins, dit-il piteusement. Attends, j'appelle l'infirmière !

— Garde-t'en bien, conseilla M. Wens. Il existe aussi des dragons blonds.

— Ecoutez ça ! s'esclaffa Malaise, prenant Mr Wu à témoin. Toujours le mot pour rire ! J'espère que tu n'as pas trop souffert ? Comment t'ont-ils endormi ?... Ne parle pas, surtout, si cela doit te fatiguer !

— Je me sens très bien, dit M. Wens.

— Ce n'est pas une raison pour commettre des imprudences et jaboter comme une pie ! Tu ferais une rechute, nous l'aurions sur la conscience. Installe-toi confortablement... Là... Je vais t'exposer les résultats de mon enquête. Il te suffira d'approuver par signes.

— Vous m'excuserez de m'entremettre, commissaire, intervint Mr Wu, mais il me paraît moins urgent d'éclairer M. Wens que d'être éclairés par lui. Commençons par écouter ce qu'il a à nous dire.

— Et que voulez-vous qu'il ait à nous dire ? Il n'a même pas pu voir qui a tiré sur Aboody et lui puisque le meurtrier les a pris à revers...

— L'a-t-il réellement fait, monsieur Wens ?

Malaise avait réussi à dénouer les ficelles du carton qu'il avait apporté.

— Mange un peu de raisin, dit-il vivement. Rien de tel pour vous rafraîchir la bouche... Zetskaya a été descendu par Steve pas plus tard que cet après-midi, figure-toi, tout juste après que j'eus découvert sa culpabilité. Tu peux l'accabler tout à ton aise ! Ce n'est pas lui qui te contredira !

— Je vous en prie, commissaire ! intervint à nouveau Mr Wu. Laissez parler M. Wens.

— Mais certainement ! Je voulais seulement lui dire qui je tiens pour coupable car je doute qu'il puisse nous en désigner un meilleur...

— Crois-tu ? dit M. Wens. Le coupable, c'est...

Un bruit de voix se faisait entendre depuis un moment dans le couloir. La porte s'ouvrit, on entendit l'infirmière qui disait : « Je ne sais vraiment si je dois... » et ce qui suivit se déroula très vite, comme un de ces films dont la projection a lieu trop lentement, ce qui a pour effet, comme chacun sait, de précipiter le rythme des images en en rompant la cadence.

Une femme entra. Floriane. Les bras chargés de fleurs. Des roses thé. Elle était très pâle et il y avait comme une prière dans ses yeux fixes. M. Wens, en l'apercevant, chercha à se redresser, ses lèvres remuèrent à vide, un son rauque s'en échappa, puis il retomba sur son oreiller.

— Je vous en prie ! dit l'infirmière, prévenant toute intervention.

Elle lui prit le pouls, lui souleva une paupière, pressa la poire électrique qui pendait à la tête du lit :

— Retirez-vous immédiatement ! Le blessé s'est évanoui.

Mr Wu se retrouva dans le couloir avec Lo Yu sans trop savoir comment il y avait été refoulé.

— Attendez là... Moi, je reste ! décida Malaise. Madame reste aussi ! ajouta-t-il fermement comme Floriane, repoussant l'infirmière, se penchait sur le blessé.

— Mais...

Malaise avait déjà tourné le dos aux deux Chinois.

— Je reviens tout de suite, ajouta-t-il, péremptoire.

De fait ce ne fut pas long. L'infirmière, dont la coiffe était un peu dérangée, commença par jeter un ordre au factionnaire, toujours posté à la porte. Le factionnaire s'éloigna à grandes enjambées et revint avec un jeune docteur en blouse blanche. Le docteur ne resta pas deux minutes et repartit avec l'infirmière, tous deux conversant à voix basse.

Malaise reparut peu après :

— Il a repris connaissance... Allons-nous-en ! Je vous avais bien dit qu'il était trop tôt pour une première visite !

— Mais..., recommença Mr Wu.

— Vous l'interrogerez un autre jour. D'ailleurs il confirme...

— Il confirme quoi ?

— Tout.

— Pourquoi Mrs Aboody est-elle restée auprès de lui ?

— Elle tenait à lui exprimer sa gratitude.

Mr Wu demeura silencieux.

Il pensait à ces portes verrouillées s'interposant entre le meurtrier et ses victimes. Il pensait à ce revolver acheté par Steve et dont Zetskaya — outre les difficultés qu'il eût éprouvées à s'en emparer — ne pouvait connaître l'existence. Il pensait à cette vieille machine à écrire *Smith and Brothers* que les familiers du bureau avaient eu seuls les moyens d'utiliser et qu'eux seuls avaient pu fortuitement découvrir. Il se disait que le plan ourdi pour s'emparer des bijoux était bien compliqué.

D'un autre côté, si le commissaire se chargeait de rédiger ses conclusions...

— En somme, tout est bien qui finit bien ! dit Malaise.

Il se frottait les mains et ses yeux pétillaient de malice.

Mr Wu ne répondit pas. Tout n'était-il pas bien ? Il se borna à exhaler ses incertitudes dans un soupir :

— *Comprendre est aisé, mais agir est difficile*, a dit...

— Chut ! coupa allégrement Malaise. Ne me dites pas qui l'a dit ! Laissez-moi deviner...

Et, saisissant la Justice par le bras, il l'entraîna vers la sortie.

— Vous y tenez vraiment ? dit M. Wens.

Ses mains avaient tellement maigri que sa bague en forme de serpent lui glissait du doigt.

— Oui, dit Floriane. Racontez.

Il hésitait encore. Elle insista :

— Je veux savoir.

— Cela vous paraît donc tellement incroyable ? dit-il.

— Oui, Jicky. Et tellement merveilleux.

ÉPILOGUE

— J'avais prévenu M. Wens que c'était un salaud... Je lui avais tout dit, que sa maison d'*import-
export* n'était qu'un paravent, qu'il avait mangé l'argent de sa femme, qu'il préparerait un mauvais coup
que ça serait dans l'ordre... Je lui avais dit que Floriane — mais je ne lui avais pas dit qu'elle s'appelait
Floriane — fumait l'opium chez un certain Zetskaya
sous couleur de se faire faire son portrait, que ce
Zetskaya était en cheville avec Aboody dont il gérait
les fumeries et que, si Aboody ne s'opposait pas à la
chose, c'est qu'il l'approuvait, que Zetskaya se
conformait à ses ordres... Je lui avais dit enfin qu'il
serait peut-être bon que Floriane reste à la maison ce
soir-là, à lire sagement du Bourget ou du Sartre, que
je me chargerais de veiller sur elle... Il avait poliment
approuvé — « Certainement !... Je vous remercie... »
— mais je voyais bien qu'à ce moment-là il devait
surtout se méfier de moi, rapport à cette affaire
Malard qui m'a valu cinq ans... Cinq ans, quand je
pense qu'une poule bien roulée, qui descend son ami
sous prétexte qu'il l'a plaquée un dimanche matin, en
prend pour six mois avec sursis !... Et il avait beau
être prévenu, ce qui faisait deux Wens, quand
Aboody lui offrit du whisky, il était bien loin de se
douter que l'autre lui chantait une berceuse... S'il
commença par refuser, c'est qu'il voulait garder l'esprit clair... Aboody, lui, dut se sentir vieillir : M.
Wens aurait continué de dire non, c'en était fait de ses
plans, tout aurait été à recommencer et il ne l'aurait
pas pu, il n'en aurait eu ni le temps ni les moyens, il

aurait sauté avant, et jusque dans la stratosphère :
Lawrence réclamait sa part d'associé, Matriche avait
drainé la caisse, l'enquête de Malaise était sur le point
d'aboutir... « *Kanpei !* » dit Aboody. « *Kanpei !* » dit
M. Wens. C'était dans le sac ! Aboody lui avait salé
son *Johnny Walker*, se réservant d'introduire le somnifère dans la bouteille *après coup*, au cas où M. Wens
aurait conçu des soupçons à son réveil et où l'idée
l'aurait pris de faire analyser l'alcool. Vers 10 heures
le téléphone sonna. C'était moi qui appelais, le nez
serré par une pince à linge. M. Wens prit la communication, procédant par onomatopées : « Allô !...
Oui... Non... Ah ?... Aha !... » Je voulais le prévenir
que Floriane était sortie, que je ne savais pas où elle
était, mais que j'allais me mettre à sa recherche. « Un
homme à moi, chargé de surveiller votre domicile. Il
me téléphone que tout va bien », expliqua M. Wens
et, en raccrochant, il renverse une photo encadrée,
une photo qui était là la veille et l'avant-veille, à
chacune de ses visites, mais qu'il n'avait jamais vue
que de dos, s'il l'avait vue, la photo de Floriane...
Pense, Peony, si ça lui a donné un coup ! Cette femme
qui l'avait chassé cinq ou six ans auparavant — une
bonne raison pour ne pas l'oublier ! —, qu'il avait
cherchée dans toute l'Europe en guerre, dont le souvenir l'empêchait de dormir comme il m'empêche
maintenant de dormir, moi !... Je me demande comment Aboody n'a rien remarqué... Peut-être qu'il l'a
fait d'ailleurs, peut-être aussi qu'il a reconnu ma voix
au téléphone, malgré la pince à linge : on n'en saura
jamais rien !... Probablement pas, à la réflexion : il ne
pensait qu'à endormir son homme. Tant qu'à faire, il
aurait pu vider la bouteille : M. Wens ne pensait plus
qu'à Floriane. « L'aime-t-elle ?... L'aime-t-il ? » et
toute la gamme. Et pourquoi fume-t-elle ? Et pour-

quoi la laisse-t-il fumer ? De quoi s'occuper jusqu'au matin et vous donner l'impression que le blanc tire drôlement sur le noir !... Ce n'est pourtant pas qu'Aboody ait mal joué son rôle ! Vers les 11 heures il eut l'idée de téléphoner chez lui, soi-disant pour demander à sa femme chérie de rester à la maison, à lire sagement du Bourget ou du Sartre, en réalité pour s'assurer qu'elle était bien sortie, que le piège jouait comme prévu... Il comptait que cela contribuerait à parfaire son portrait de « mari-déçu-aussi-épris-qu'au-premier-jour » et il y eût certainement réussi si M. Wens, sous ses airs de marmotte, n'avait réfléchi à toute vapeur... Il lui fallait plus d'un verre, d'ordinaire, pour éprouver des envies somnifères, et le whisky ne dépose pas comme ça... L'eau de Seltz peut-être, et encore... Jamais le whisky... Qu'aurais-tu fait, Peony, pour en avoir le cœur net ? Tu te serais servie toi-même. M. Wens aussi se servit lui-même... Correct, le whisky. Correct ? Fameux !... Plus le moindre goût de médecine. Un de ces mordants !... Le soporifique — si soporifique il y avait — avait donc été introduit dans son verre, et non dans la bouteille, par l'astucieux Aboody, et non par l'innocent petit Steve... Pourtant !... Aboody l'avait appelé à son secours quand rien ne l'y obligeait, Aboody comptait sur lui pour le défendre... On n'endort pas un homme qui doit vous protéger d'un danger mortel, à moins que... A moins que ce danger *n'existe pas*, que l'on ait besoin de cet homme pour tout autre chose qu'on a dit... Toi-même, Peony, malgré ta cervelle de sansonnet, tu aurais commencé à comprendre...

— Sû'ement pas, missié Steve.

— De quelle aide peut vous être un homme endormi ?... Apparemment d'aucune !... Que peut-on

espérer d'un aveugle, sourd et muet de surcroît ?...
Rien !... Il se trouverait à Grand-Popo que ça serait
du pareil au même !

— Sû'ement oui, missié Steve.

— Eh bien non, pas du tout ! Il vous apporte tout
de même quelque chose : sa présence et, à son réveil,
à supposer qu'il trouve son sommeil naturel ou im-
putable à une intervention étrangère, un témoignage... Au total : *un alibi !...* Tu saisis, Peony ?...
Aboody avait besoin d'un alibi *et comptait sur
M. Wens pour le lui procurer !* Un alibi authentifié par
un flic, même si ce flic n'est qu'un amateur, un
dilettante, que peut-on rêver de mieux ?... Mais on
n'a besoin d'un alibi que quand on médite un mauvais coup ! Quel mauvais coup Aboody pouvait-il
espérer commettre *sans quitter son bureau* ?... Une
seule façon de le savoir : voir venir, jouer le jeu...
mais le jouer vite et bien car le sommeil était là, plus
pressant de minute en minute, et on résiste plus
facilement à une beauté fatale qu'au sommeil...
Aboody aussi paraissait avoir du mal à garder les
yeux ouverts, histoire de convaincre M. Wens qu'ils
étaient dans le même bateau... Mais cette comédie
même achevait de le trahir *maintenant que M. Wens
savait*, de prouver qu'il exécutait un plan arrêté de
longue date... Les lettres de menaces, il avait dû se les
adresser lui-même puisqu'il en avait pris prétexte
pour faire appel à M. Wens, et le Dragon vert, il
l'avait inventé !... Mais, encore une fois, pourquoi
toute cette comédie ? Prisonnier volontaire jusqu'au
matin, Aboody ne pouvait rien... Rien, sinon attendre
que quelque chose arrive, *quelque chose dont on aurait pu l'accuser s'il avait joui de sa liberté de mouve-
ments*, quelque chose qui devait être accompli par
quelqu'un d'autre, par... des complices, voilà ! Mais,

en ce cas, il n'était nullement nécessaire d'endormir M. Wens, de courir le risque d'éveiller sa méfiance ! Pour s'y être résolu, c'est qu'Aboody devait tout de même intervenir, agir à quelque moment, payer de sa personne, s'éclipser peut-être à l'insu de son garde du corps... Comment l'en empêcher ? Créer une diversion, appeler à l'aide ? M. Wens y pensa, mais pour y renoncer aussitôt : Aboody aurait fait l'innocent, changé ses batteries, élaboré un autre plan ayant peut-être de meilleures chances de réussir... Non, ce qu'il fallait, c'était le pousser à se trahir, à agir immédiatement... Et cela en lui procurant une trompeuse impression de sécurité, en simulant le sommeil, en y sombrant apparemment plus tôt que prévu... Mais simuler le sommeil revient à en précipiter les effets et M. Wens avait beau se griffer cruellement, il n'en glissait pas moins dans un trou où sa chute s'accélérait de seconde en seconde... Par chance, Confucius l'en tira inopinément en renversant une lampe dans le bureau des employés et en procurant du même coup à Aboody — qui savait n'avoir à craindre aucune visite — sa première émotion de la soirée... Mais ce n'était qu'un sursis, un sursis qui retardait encore le dénouement, et l'attente reprit, une attente dont M. Wens doutait maintenant de voir la fin... Ses idées se brouillaient, il n'était plus dans le bureau, mais dans une chambre d'hôtel, à Cherbourg, et le vent emportait Floriane vers la fenêtre ouverte, gonflant ses vêtements comme une voile... Aboody, derrière son bureau, l'observait tranquillement, attendant son heure, comme on observerait un cobaye. Rien ne le pressait. Il savait Floriane aux mains de Zetskaya. (Il le croyait du moins, ignorant que l'Eurasien, imitant sa prudence, s'était déchargé à son tour de sa tâche sur Lotus.) Elle parlerait bientôt... si elle ne l'avait déjà fait. Un peu de patience encore, un simple coup de téléphone, et il saurait où prendre les bijoux le lendemain matin, à la première heure, avant que la police ne s'inquiétât de la disparition de Floriane. Le corps serait retrouvé — nu — dans quelque impasse des « Tranchées », cet enfer interdit aux femmes blanches. L'autopsie révélerait, entre autres choses, une intoxication par l'opium. Interrogé, il dirait : « Je l'avais suppliée de ne pas sortir... » et M. Wens serait là qui approuverait, qui répondrait de son innocence : « Nous avons passé toute la nuit ensemble dans le bureau... » Peut-être même, par vanité, le « flic » nierait-il avoir dormi ? Et l'enquête s'achemmerait inévitablement vers sa conclusion : le Dragon vert n'avait menacé le mari que pour atteindre plus sûrement la femme. Ou alors on croirait qu'un coolie... et, lavé de tout soupçon, il suffirait à Aboody de partir un beau matin pour l'aérogare, sans esprit de retour. Quand le téléphone vint à sonner, il sursauta, mais décrocha vivement. « Allô ! Maît'e ? » fit Lotus à l'autre bout du fil. Aboody étouffa sa voix dans le creux de sa main : « Oui. Elle a parlé ? » Alors Lotus : « Non, elle di'e pas savoi', que son ma'i les a. Elle nous supplie lui téléphoner... » car — écoute bien ça, Peony ! — Lotus — quoi qu'aient pu penser Malaise et les autres — n'a jamais donné qu'*un seul et unique coup de téléphone* à Aboody, alias le Dragon vert... Aboody allait répondre quand un cri déchirant lui parvint. C'était Floriane qui appelait au secours. Puis elle se tut et Lotus expliqua que je venais de m'amener impromptu, que j'en avais vu beaucoup plus que je n'aurais dû, réclama des ordres... Des ordres, Peony, ça ne te dit rien ?... Quelques mots, peut-être un oui, ou un non, dont dépendaient deux vies ! Mais Aboody ne les donna pas. Il ne les donna pas car ce cri qui avait éclaté dans l'appareil, et même dans la pièce, il n'avait pas été seul à l'entendre. Et si ses réponses n'eussent pas tout expliqué, ce cri seul y eût suffi. « Raccrochez ! » ordonna M. Wens, son automatique à la main. Aboody reposa l'écouteur, mais il ne voulait que s'emparer de son browning, le mien plutôt, celui qu'il m'avait volé. M. Wens tira le premier et sa balle alla fracasser un morceau de la porte vitrée. Aboody tira les trois coups suivants. Désarmé et gravement blessé, M. Wens se jeta sur lui. Par parenthèse, il fallait qu'il fût drôlement gonflé pour réussir à se bagarrer, touché comme il l'était. Sans le cri de Floriane dans les oreilles, il ne l'aurait sûrement pas pu. Il arracha son automatique à Aboody, tira à son tour jusqu'à épuisement du chargeur... car il ne fallait pas qu'Aboody en réchappe *ou il aurait retéléphoné.* Aboody prit les trois pruneaux, mais resta debout. Mieux, il s'empara d'un stylet qui lui servait de coupe-papier, fit un pas en avant, deux. M. Wens n'avait plus que mon revolver vide. Il le lui balança à la tête et, comme s'il n'avait attendu que ça, Aboody piqua du nez sur le bureau, pour le compte cette fois. Mon browning passa à travers le carreau, atterrit de l'autre côté, glissa sur le carrelage comme une brique de savon...

— Et c'est là que M. Mat'iche l'a 'amassé ?

— Comment, diable, as-tu deviné ça, Peony ?... Tu n'es pas si futée, d'ordinaire !

— Non, dit humblement Peony. Mais vous m'avoi' déjà 'aconté tout ça six fois, missié Steve.

— C'est vrai ! dit sombrement Steve. Mais... six fois, tu crois ?

— Peut-êt'e sept, missié Steve.

Steve regarda autour de lui. Ces dragons pelés, ces matelas douteux, et cette odeur qui commençait toujours par lui lever le cœur... Comment un homme, un Blanc, peut-il en arriver là ?

Et Peony ? Elle n'était même pas jolie. Ses cheveux ? Du crin. Pas plus de poitrine qu'un garçon. Comment avait-il pu la déshabiller, la coucher contre lui, l'y presser, se fondre en elle ? D'où venait qu'il en aurait encore envie tout à l'heure, comme il aurait envie de nouvelles pipes, jusqu'à l'écœurement ?

Dans le fond, il savait pourquoi. Il savait aussi que ce goût durerait aussi longtemps que son chagrin, plus longtemps peut-être. Il lui suffisait de se rappeler ce que Floriane lui avait dit :

« Avez-vous jamais pleuré un être cher ?... Attendez que ça vous arrive et vous verrez !... L'opium est un don des dieux : il vous rend ce que vous croyiez perdu, comme une part de vous-même... »

Comme une part de vous-même.

La pipe pouvait bien revenir maintenant à un dollar trente.

Quand on y songeait, c'était donné.

Version originale :
Bruxelles, 1930-1931.

Nouvelle version :
Roquebrune-Cap-Martin, 1949.

Le Club
des Masques

LE MASQUE

IMPRIMÉ EN FRANCE PAR BRODARD ET TAUPIN
Usine de La Flèche (Sarthe).
ISBN : 2 - 7024 - 2065 - 6
ISSN : 0768 - 0384

H 31/0722/4